trato hecho

español de los negocios

S O C I E D A D   G E N E R A L   ·   L I B R E R Í A, S.A.

Primera edición, 2001

Produce: SGEL-Educación
          Avda. Valdelaparra, 29
          28108 ALCOBENDAS (Madrid)

© José Mª de Tomás
  Blanca Aguirre
  Julio Larrú
  Paloma Rubio

© Sociedad General Española de Librería, S.A. 2001
  Avda. Valdelaparra, 29 - 28108 ALCOBENDAS (Madrid)

Coordinación editorial: Julia Roncero
Cubierta: Carla Esteban
Composición y maquetación: Érika Hernández
Dibujos: Carlos Molinos

I.S.B.N.: 84-7143-862-3
Depósito Legal: M.20801-2001
Printed in Spain - Impreso en España

Fotomecánica: Preyfot, S.L.
Impresión:Sittic, S.A.
Encuadernación: F. Mendez, S.L.

Presentación

El español es la lengua que en los últimos años ha experimentado mayor crecimiento en el mundo de los negocios. La apertura de mercados que han supuesto organizaciones supranacionales como la Unión Europea o Mercosur o tratados como el de Libre Cambio entre México, Canadá y Estados Unidos hacen que, en los próximos años, el conocimiento de nuestra lengua esté llamada a extenderse de forma espectacular entre amplios sectores de la población tanto en Europa como en América y convertirse en la segunda lengua de comunicación en el mundo económico.

Trato Hecho es el primer volumen de un método de español concebido específicamente para aquellas personas que se dedican a la actividad económica o están interesados en ella. Nuestro método se diferencia de cualquier otro precisamente en eso, en que **Trato Hecho** se dirige específicamente a aquellas personas que quieren iniciarse en el estudio de nuestro idioma a través del conocimiento de situaciones relacionadas con el mundo de los negocios y utilizando la terminología propia de dicha actividad. De esta forma el desarrollo de su capacidad de expresión y comprensión tanto oral como escrita se desarrolla en nuestro método mediante el planteamiento de situaciones de la vida diaria relacionadas con la actividad empresarial, lo que permite al alumno familiarizarse con la práctica del idioma y la terminología económica a un tiempo. Esperamos que esta fórmula resulte del agrado de todos aquellos estudiantes de nuestra lengua que tengan como finalidad específica de su estudio su utilización en actividades profesionales relacionadas con la actividad económica.

Contenidos

NEWCASTLE-UNDER-LYME
COLLEGE LEARNING
RESOURCES

1.1 Gente de la empresa

El presente de indicativo.

COMPRENSIÓN AUDITIVA

1. Escuche y relacione las conversaciones con las situaciones que aparecen en las fotografías.

2. Complete la información.

   1. a) El Director General se llama ....
      b) La señora Anderson es la .... de la empresa ....
   2. a) María es la nueva ....
      b) Jorge González trabaja en el departamento de .... Es el responsable
      de ....
   3. a) Pierre Bouvier está en ....
      b) Tiene una entrevista con ....

PRÁCTICA ESCRITA

1. Una cada fórmula de la columna A con otra de la columna B.

A	B
1. – Permítame que me presente. Soy Lucía Asencio, Directora de Comunicación.	– Bien gracias, ¿cómo te va?
2. – ¡Hola! ¿Cómo estás?	– Encantada de conocerle.
3. – ¿Cómo se llama tu secretaria?	– Mucho gusto en conocerla. Soy Elisa Mayer, de Prensa Sur.
4. – Buenos días. ¿Cómo está usted?	– Marta.
5. – Tengo el gusto de presentarle a mi jefe.	– Muy bien, ¿y usted?

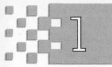

PRÁCTICA ORAL

1. Practique con su compañero.
   1. Saludos: formal e informal.
   2. Presentaciones: nombre y apellidos; cargo, nombre y actividad de la empresa.
   3. Despedidas.

UN POCO DE GRAMÁTICA

El presente de indicativo

1. USOS: "Expresión de tiempo actual"

- **Presente habitual.** Expresa acciones que suceden con carácter habitual aunque no sucedan en el mismo momento en que se habla: *Escribo mis trabajos con ordenador*.

- **Presente durativo.** Expresa acciones de larga duración que incluyen el tiempo actual: *Estudio español*. Cuando la acción es de carácter transitorio el uso de la perífrasis durativa es más apropiado: *Estoy trabajando en un restaurante*.

2. FORMAS:

1ª Conjugación -AR	2ª Conjugación -ER	3ª Conjugación -IR
canto	quiero	escribo
cantas	quieres	escribes
canta	quiere	escribe
cantamos	queremos	escribimos
cantáis	queréis	escribís
cantan	quieren	escriben

Pronombres personales sujeto

1. USOS:

En España, las formas **usted**, **ustedes**, se utilizan como fórmula de respeto para dirigirse a personas desconocidas o cuya diferencia de edad o prestigio con el hablante sea considerable. En la América de habla hispana esta diferencia no existe, ya que la fórmula vosotros ha sido sustituida con carácter general por **ustedes**.

En Argentina, Uruguay y Paraguay, la formula **vos** sustituye a **tú** en el tratamiento informal: *Vos trabajás*.

Usted, **ustedes**, son, sintácticamente, pronombres de tercera persona, por lo que el verbo deberá ir en tercera persona: *Usted trabaja, Ustedes estudian*.

2. FORMAS:

Primera persona		Segunda persona		Tercera persona	
Singular	*Plural*	*Singular*	*Plural*	*Singular*	*Plural*
Yo	Nosotros Nosotras	Tú (Vos) Usted	Vosotros Vosotras Ustedes	El Ella Ello	Ellos Ellas

USO DE LA LENGUA

1. Complete los espacios en blanco con la forma correcta del presente de indicativo de los verbos ser y estar.

    a) Hoy en día los aviones .... muy seguros.
    b) Todos .... seguros de que el negocio irá bien.
    c) .... prohibido fumar dentro de la fábrica.
    d) No .... bueno comer o beber demasiado.
    e) .... los principales fabricantes de este producto.
    f) Este coche .... muy económico.
    g) ¿Dónde .... tu marido? En la oficina.
    h) ¿.............. preparados? Sí, vamos.
    i) ¿Cuál es tu profesión? .... abogado.
    j) Los precios .... muy bajos y la calidad .... buena.

2. Complete estas oraciones con la forma correcta del presente de indicativo del verbo entre paréntesis.

    a) Mi secretaria .... tarde. (llegar)
    b) El director generalmente .... en el restaurante de enfrente. (comer)
    c) ¿Dónde .... tu jefe? (vivir)
    d) ¿Cuándo .... tus vacaciones? (empezar)
    e) No .... dinero para comprar el coche. (tener)
    f) ¿Por qué .... usted que el producto no es bueno? (decir)
    g) Los empleados nunca .... el trabajo antes de las ocho de la tarde. (terminar)
    h) ¿A qué hora .... a casa? (volver)

3. Coloque un pronombre personal sujeto en los espacios en blanco.

    a) .... no tenemos tiempo para hacer ese trabajo.
    b) .... dicen que están muy ocupados.
    c) .... queremos ver un espectáculo de flamenco y ...., ¿qué queréis?
    d) .... juega al mus con sus amigos y .... hace crucigramas.
    e) .... bebes vino, ¿verdad?

4. Complete los espacios en blanco con los artículos determinados o indeterminados correspondientes.

    a) .... informe está preparado.
    b) Tenemos .... postres muy buenos. .... tarta de manzana es exquisita.
    c) Juan es .... buen amigo mío. Pero Pedro es .... de más confianza.
    d) Necesitamos .... vacaciones.
    e) Pasaré toda .... tarde trabajando.
    f) Cenaremos con .... amigos esta noche.
    g) Tengo ideas ....interesantes para .... empresa.
    h) Haremos .... viaje por España.

5. Rellene los huecos con uno de estos verbos en presente de indicativo.

ir	tener	ser (x2)	estar	salir	soler	hablar

Laura Rodríguez

Ésta .... Laura Rodríguez, ... 25 años y es de Madrid. Trabaja en una empresa discográfica. .... licenciada en Ciencias de la Información por la Universidad Complutense de Madrid. .... perfectamente inglés porque su madre es estadounidense. Es una apasionada de la música, por eso .... encantada de trabajar en una compañía discográfica. Pero la música no es lo único importante en su vida, Laura .... con Luis, un compañero de carrera, a menudo .... al cine y los fines de semana .... salir a cenar y a tomar unas copas con sus amigos. Son una pareja muy simpática.

VOCABULARIO Y CULTURA

Países y nacionalidades

Países	Nacionalidades
España	española
Italia	italiana
Brasil	brasileña
Canadá	canadiense
Suiza	suiza
Turquía	turca
Estados Unidos	estadounidense
Méjico	mejicana
Argentina	argentina
Portugal	portuguesa
Holanda	holandesa
Francia	francesa
Gran Bretaña	británica

Responda las preguntas referidas a los países de la columna de la izquierda.

¿Qué países pertenecen a la Unión Europea?
¿Cuáles pertenecen a Mercosur?
¿Qué moneda se utiliza en Suiza?
¿En cuáles se habla inglés?
¿Cuáles son mediterráneos?
¿En dónde hay más de una lengua oficial?

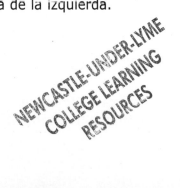

1.2 Nuestras actividades

Formas interrogativas; numerales cardinales.

COMPRENSIÓN AUDITIVA

1. Escuche y elija la tarjeta apropiada.

INFORTEL

Teresa Martíns
Directora de Cuentas

Av. 5 de Outobro, 63   Tel. 8154970
LISBOA   Fax. 8154090

TELPAN

Tomás Aragón Martín
Director Financiero

Zurbarán, 64   Tel. 915125678
28010 MADRID   Fax. 915122040

PLATA EXPORT

Alberto Puerto
Director Gerente

General Paz, 180
1834 Temperly   Tel. (541) 3400010
BUENOS AIRES

NOTEL

Tomás Martínez

506 Dover Drive
Santa Bárbara
CALIFORNIA   Tel. 890978501
                       Fax. 890978500

2. Compruebe las afirmaciones siguientes:

  a) El señor Aragón es ingeniero.
  b) TELPAN es una empresa española.
  c) El señor Emery trabaja en Bernasa.
  d) PLATA EXPORT es una empresa Argentina.
  e) La señora Martíns es economista.
  f) INFORTEL pertenece al sector audiovisual.
  g) Tomás Martínez es natural de Santa Bárbara.

PRÁCTICA ESCRITA

1. Confeccione su propia tarjeta de visita con los siguientes datos: su nombre y el de su empresa; dirección; teléfono, fax y correo electrónico.

PRÁCTICA ORAL

1. Una vez realizado el ejercicio anterior, inicie una conversación con su compañero/a en la que intercambien los datos que aparezcan en sus respectivas tarjetas.

2. En grupos: entrevisten a varios compañeros y anoten los datos de cada uno.

Nombre: ....
Apellido: ....
Nacionalidad: ....
Empresa: ....
Departamento: ....
Cargo: ....
Nº de teléfono/fax: ....
Dirección: ....

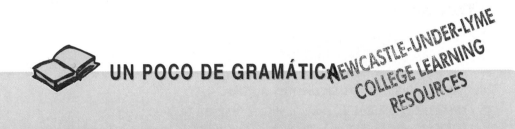

UN POCO DE GRAMÁTICA

Interrogativos

QUÉ	**Pronombre interrogativo:**	Ej: *¿Qué dices?*
QUIÉN/ QUIÉNES	**Pronombres interrogativos:**	Ej: *¿Quién viene a la reunión?* *¿Quiénes están invitados?*
CUÁL/ CUÁLES	**Pronombres interrogativos:**	Ej: *¿Cuál de los dos prefieres?* *¿Cuáles quieres comprar?*
CÓMO	**Adverbio interrogativo:**	Ej: *¿Cómo estás?*

Números cardinales

Significado:

Expresan siempre una cantidad exacta. Ej: *Dos personas. Cuatro libros*.

Uso:

Preceden siempre a un sustantivo contable. Ej: *Una oficina. Tres empresas*.

0=cero

1=uno **2**=dos **3**=tres **4**=cuatro **5**=cinco **6**=seis **7**=siete **8**=ocho **9**=nueve **10**=diez

11=once **12**=doce **13**=trece **14**=catorce **15**=quince **16**=dieciséis **17**=diecisiete

18=dieciocho **19**=diecinueve **20**=veinte

30=treinta **40**=cuarenta **50**=cincuenta **60**=sesenta **70**=setenta **80**=ochenta **90**=noventa

100=cien

500=quinientos **1.000**=mil

10.000=diez mil **100.000**=cien mil **1.000.000**=un millón

USO DE LA LENGUA

1. Rellene los huecos con las formas interrogativas que aparecen en el recuadro.

cómo	cuál	cuáles	qué	quién	quiénes

   a) ¿............... sabes del nuevo producto ILT?
   b) ¿............... de ellos es el jefe de ventas?
   c) ¿............... esperas convencerle?
   d) ¿............... vienen a la reunión?
   e) ¿............... quieres ayudarme?
   f) ¿............... son más modernos?

2. Escriba en palabras los siguientes números:
   15; 75; 23; 55; 176; 450, 942; 1.300; 2.004; 14.000

3. Dicte a su compañero/a los siguientes números de teléfono por separado y en bloques:
   Ej: *937452321 (nueve, tres, siete, cuatro, cinco, dos, tres dos, uno).*
   Ej: *91 347 22 68 (noventa y uno, trescientos cuarenta y siete, veintidós sesenta y ocho).*
   a) 965224017
   b) 942300015
   c) 924473647

1.3   Nuestro tiempo libre
Adverbios de frecuencia.

COMPRENSIÓN AUDITIVA

1. Escuche y anote las aficiones y deportes que practican en su tiempo libre:

Actividad	Jorge	Romero	Bouvier	Marta
Submarinismo				
Lectura				
Viajar				
Ir al cine				
Ir al teatro				
Ir a conciertos				
Nadar				
Esquiar				
Navegar				
Jugar al golf				

1

PRÁCTICA ESCRITA

1. Relacione los verbos con la correspondiente actividad:

	fotografías
	cartas
a) Hacer	teatro
b) Ir	televisión
c) Jugar	natación
d) Practicar a /al	cine
e) Ver a los/a las	museos
f) Visitar la	exposiciones
g) Leer	novelas
h) Escuchar	conciertos
	fútbol
	música
	aeróbic

2. Rellene el cuestionario sobre lo que le gusta hacer en su tiempo libre utilizando adverbios o locuciones adverbiales de frecuencia:

Ej: *Juega a las cartas*
    ***Nunca** juego a las cartas*

a) Escucha música.
b) Viaja al extranjero.
c) Pasea por el campo.
d) Practica deportes.
e) Ve la televisión.
f) Va al cine o al teatro.
g) Visita museos y exposiciones.
h) Lee los periódicos.

PRÁCTICA ORAL

1. En grupo: comparen sus respectivas respuestas en el ejercicio anterior con las de sus compañeros y comenten sus preferencias.

UN POCO DE GRAMÁTICA

Reglas de acentuación

El acento
Definición:
Es la mayor fuerza o intensidad con que se pronuncia una sílaba de una palabra. La sílaba con más intensidad es la sílaba tónica. Las demás se llaman átonas.

Representación gráfica:
En español hay sólo una forma de acento (´) que se llama tilde.

Tipos de palabra según la posición del acento:
- **Agudas:** tienen la intensidad en la última sílaba: *Perú, mayor, actuación*.
- **Graves:** tienen la intensidad en la penúltima sílaba: *orden, dólar*.
- **Esdrújulas:** tienen la intensidad en la antepenúltima: sílaba: *último, sílaba*.

1. Indique cuál de las siguientes palabras es aguda:
   a) diario   b) animal   c) hora   d) casa

2. Indique cuál de las siguientes palabras es grave:
   a) pagaré   b) invalidez   c) deudor   d) activo

3. Indique cuál de las siguientes palabras es esdrújula:
   a) Panamá   b) arancel   c) crédito   d) cuota

2.1 Preparamos el viaje

Pronombres personales complemento.

COMPRENSIÓN AUDITIVA

1. Escuche la conversación entre el Director de Exportación y su secretaria y anote los datos del viaje.

   Destino: ....
   Medio de transporte: ....
   Fechas: ....
      Ida: ....   Hora: ....
      Vuelta: ....   Hora: ....
   Nº de plazas: ....
   Hotel: ....
   Nº de habitaciones: ....

2. Escuche las instrucciones del Director de Exportación y elija la respuesta correcta.

   a. ¿Cuántas personas van a Suecia?
      1   2   3   4

   c. ¿Dónde es la reunión?
      Kiruna, Estocolmo, Kalmar, Goteborg

   b. ¿Quiénes van?
      Director de Fábrica, Director de Importación, Director General, Director de Exportación

   d. ¿Cuándo tienen la primera reunión?
      3   4   5   6
             de
      mayo junio julio agosto

PRÁCTICA ESCRITA

1. Una las siguientes preguntas con sus correspondientes respuestas.

   a. ¿Puede hacerme la reserva hoy?
   b. ¿A qué hora sale el tren?
   c. ¿Cuántas plazas?
   d. ¿Hay algún tren por la tarde?
   e. ¿En qué clase desea viajar?
   f. ¿Cuándo llega el vuelo de Londres?
   g. ¿Habitación doble o individual?

   1. ¿Londres - Madrid?, a las 19:40
   2. Individual, por favor.
   3. Por supuesto. Ahora mismo.
   4. A las diez y media.
   5. Tres de ida y vuelta.
   6. Turista.
   7. Hay dos, uno a las cinco y otro a las siete y media.

2. Preparen un viaje de negocios (trabajo por parejas).

   Destino: ....
   Fechas. ....
   Nº de personas: ....
   Medio de transporte: ....
   Clase: ....
   Hotel: categoría y tipo de habitaciones: ....

3. Estudie el horario de vuelos y complete la información:

Vuelos de Madrid a				
	DÍA	SALIDA	LLEGADA	ESCALAS
Burdeos	domingo	?	?	--
	L/V/S	?	?	1
Dakar	?	?	22.30	1
?	S/D	?	14.30	--
?	J	12.00	?	--

					Servicios de Pasaje	
De	Días	Salida	Llegada	Vuelo	Stops	Avión
MADRID						
To **BURDEOS** (Cont)						
	1 2 3 4 5	17.30	18.45	VM/IB336		S20
	1 2 3 4 5 6 7	19.20	20.30	AF5411		CRJ
To **CANCUN (MÉXICO)**						CUN
01 Ene	1 2 3 4 5 6 7	12.00	18.20	IB6103	1 stop	747
29 Dic	1 . . . 5 6	12.00	18.15	IB6101	1 stop	747
To **CARACAS**						CCS
18 dic-15 Ene . . . 4 . . .		10.20	16.25	IB6791	1 stop	D10
	 6	10.20	16.25	IB6791	1 stop	D10
15 Dic	1	12.00	15.50	IB6701		747
	. . 3 . 5 . 7	12.00	15.50	IB6701		D10
-11 Dic . . . . 4 . . .		12.00	15.50	IB6701		D10
To **CASABLANCA**						CAS
	1 2 . 4 5 6 7	13.30	14.10	IB3700		DC9
	1 2 3 4 5 6 7	20.10	20.50	AT971		734
To **CLERMONT-FERRAND**						CFE
	1 2 3 4 5	14.45	17.30	VM/IB395	1 stop	SF3
To **COPENHAGUE**						CPH
	1 2 3 4 5 6 7	11.55	15.00	IB3302		320
01 Nov	. . . . . . 6 7	11.00	14.10	SK1586		M80
	1 2 3 4 5 6 7	15.25	18.35	SK582		M80
To **DAKAR**						DKR
	1 . 3 . 5	17.00	22.20	IB3970	1 stop	757
To **DAMASCUS**						DAM
	. . . 3 . . . 7	11.00	18.30	IB7300	1 stop	727
	. . . 3 . . . 7	11.00	18.30	RB420	1 stop	727

PRÁCTICA ORAL

1. Pida información a su compañero sobre el horario de vuelos del cuadro anterior.

¿A qué hora sale el vuelo de...?
¿A qué hora llega ...?
¿Cuántos vuelos hay a ...?
¿Qué días hay vuelos a ...?
¿Hay algún vuelo directo a ...?

UN POCO DE GRAMÁTICA

Pronombres personales complemento

FORMAS SIN PREPOSICIÓN

Primera persona		*Segunda persona*		*Tercera persona*	
Singular	**Plural**	**Singular**	**Plural**	**Singular**	**Plural**
me	nos	te (os)	os	lo, la	los, las
				le, se	les, se

Los pronombres sin preposición suelen anteponerse a las formas verbales conjugables.
Con infinitivos, gerundios e imperativos forman una sola palabra en la que actúan como sufijo.

FORMAS CON PREPOSICIÓN

Primera persona		*Segunda persona*		*Tercera persona*	
Singular	**Plural**	**Singular**	**Plural**	**Singular**	**Plural**
mí	nosotros	ti, contigo	vosotros	si, consigo	sí
conmigo	nosotras	usted, (vos)	vosotras	el	ellos
			ustedes	ella	ellas
				ello	

Las formas conmigo, contigo y consigo se utilizan como complemento circunstancial: *Mi hermana fue al cine conmigo; No quiero hablar contigo; Trajo consigo el dinero que le pedí.*

2

Uso correcto de LO/LA/LE, LOS/LAS/LES

	Complemento Directo	Complemento Indirecto
Singular	lo/la	**le** **se** (sustituye a **le** cuando precede al complemento directo, **lo, la**, Ej: *Se lo entregué*
Plural	los/las	**les** **se** (sustituye a **les** cuando precede al complemento directo, **los, las**, Ej: *Se las entregué.*

USO DE LA LENGUA

1. Sustituya las palabras subrayadas por un pronombre personal complemento.

   a) Deja el <u>billete</u> en el mostrador.
   b) Pon la <u>agenda</u> encima de la mesa.
   c) Coloca <u>los discos</u> en su sitio.
   d) Llama <u>a la secretaria</u>.
   e) Telefonea <u>al director</u>.
   f) Compra <u>la corbata azul</u>.
   g) Invita <u>a Pedro y a mí</u> a una copa.
   h) Da <u>a Elena y a Luis</u> nuestro número de teléfono.

2. Complete los espacios en blanco con un pronombre personal complemento.

   a) El señor García .... va de viaje esta tarde.
   b) Voy a alquilar este local porque .... conviene.
   c) .... agradezco vuestra colaboración.
   d) .... marchamos mañana.
   e) Nuestra empresa .... gasta bastante dinero en publicidad.
   f) A la gente .... gusta que .... traten bien.
   g) Lee este informe y di .... que .... parece.
   h) ¿Dónde está el presupuesto? .... he dado al jefe.

2.2 Reservamos hotel

"Haber" impersonal. Interrogativos.

COMPRENSIÓN AUDITIVA

1. Escuche las reservas por teléfono y complete el formulario.

	Primera reserva	Segunda reserva	Tercera reserva
Hotel			
Nombre de los clientes			
Tipo de habitación			
Fecha de entrada			
Número de coches			
Empresa			
Forma de pago			

PRÁCTICA ESCRITA

1. Escriba las fórmulas para solicitar información o reserva de servicios.

   a) Pedir información sobre horarios.
   b) Hacer una reserva de hotel.
   c) Indicar el tipo de habitación que desea.
   d) Reservar un pasaje de avión o billete de tren.
   e) Indicar la clase en que desea viajar.
   f) Solicitar información sobre las instalaciones del hotel.

2. Estudie los símbolos de la Guía de Hoteles y escriba la explicación de cada uno. A continuación compare sus explicaciones con la de su compañero.

PRÁCTICA ORAL

1. Por parejas: completen y lean en voz alta el diálogo en la recepción del hotel.

   Recepcionista: Buenas tardes.
           Cliente: Hola, buenas tardes. ¿Tiene habitación para esta noche?
              R: ¿...............................?
              C: Una individual.
              R: Sí, ¿...............................?
              C: ¿El pasaporte o el carnet de identidad?
              R: Es lo mismo.
              C: ¿...............................?
              R: Sí. El desayuno está incluido, desayuno continental.
              C: ¿...............................?
              R: Sí, admitimos todas las tarjetas de crédito. Firme aquí, por favor.
              C: ¿...............................?
              R: Sí, la piscina cubierta está ahí. A la derecha del ascensor. Aquí tiene su llave. Habitación 1032.
              C: ¿...............................?
              R: El desayuno es de 07.30 a 11.00.
              C: Muchas gracias.
              R: A usted.

UN POCO DE GRAMÁTICA

Uso impersonal del verbo HABER en presente

FORMA:	Singular	Plural
	Hay +(un/una) + Complemento directo. Ej: *Hay un hombre en la habitación.* *Hay una persona en la puerta.* *¿Hay fruta en la nevera?*	**Hay + (un/una) + Complemento directo.** Ej: *Hay unos niños jugando en el jardín.* *Hay unos libros sobre la mesa.* *¿Hay sillas en tu habitación?*

SUJETO: El verbo HABER impersonal nunca lleva sujeto gramatical explícito.

USO: Se usa para indicar o preguntar sobre la existencia o el lugar donde se encuentra un ser, objeto o lugar.

Ej: *Hay un hombre en la habitación.*
Hay tres libros sobre la mesa.
Hay una oficina de correos en esa calle.

Interrogativos

CUÁNTO/CUÁNTA	**Determinante interrogativo de cantidad:**	Ej: *¿Cuánta gente trabaja aquí?*
CUÁNTOS/CUÁNTAS	**Pronombre interrogativo de cantidad:**	Ej: *¿Cuántos vienen esta noche?*
CUÁNTO	**Adverbio interrogativo de cantidad:**	Ej: *¿Cuánto cuesta esta chaqueta?*
DÓNDE	**Adverbio interrogativo de lugar:**	Ej: *¿Dónde vives?*
CUÁNDO	**Adverbio interrogativo de tiempo**	Ej: *¿Cuándo vuelves?*
POR QUÉ	**Adverbio interrogativo de razón:**	Ej: *¿Por qué no vienes mañana?*

USO DE LA LENGUA

1. Rellene los espacios en blanco con "dónde", "por qué", "cuánto/a/os/as", "a qué hora".

    a) ¿............... dinero cuesta el billete a Sevilla?
    b) ¿............... no coges el avión de las 7.30?
    c) ¿............... sale tu vuelo? A las 10.15?
    d) ¿De .... dónde vienes? De la fábrica.
    e) ¿Por .... está tu oficina? Por el centro.
    f) ¿............... trenes hay a Málaga los sábados?
    g) ¿............... sales para Alicante? A las 9 de la mañana.

2. Pregunte a su compañero de clase con qué frecuencia realiza las siguientes actividades, utilizando los adverbios y locuciones adverbiales que aparecen en el recuadro.

Todos los días.   Una vez al mes.   Dos veces por semana.   Nunca.   De vez en cuando.
Casi nunca.   Tres veces al año.   Cada dos semanas.   Los fines de semana.   Muy pocas veces.

    a) Come en un restaurante.
    b) Va al cine.
    c) Cambia de coche.
    d) Visita un museo.
    e) Asiste a una reunión de trabajo.

    f) Juega al tenis.
    g) Va de viaje de negocios.
    h) Va de vacaciones.
    i) Ve la televisión.
    j) Sale con los amigos.

2.3 Un viaje en avlón
Peticiones con el verbo "poder".

COMPRENSIÓN AUDITIVA

1. Escuche los diálogos y mensajes, relacionelos con las situaciones correspondientes y rellene los huecos que incluyen interrogación.

    - Pasajero y empleada en facturación.
    - Azafata en interior del avión.
    - Información sobre panel de vuelos en terminal.
    - Conversación telefónica entre dos mujeres.

		Destino	Nº de vuelo	Hora	Puerta
1		?	IB 4598	?	---
2		Viena	---	?	?
3	a	?	AZ 079	---	?
	b	---	---	---	?
	c	?	AA 1955	---	---
	d	?	SU 298	---	---
	e	Amsterdam	?	---	?
4		?	IB 3488	---	---

PRÁCTICA ESCRITA

1. Indique el lugar donde puede escuchar las siguientes preguntas o mensajes. (I) mostrador de información, (F) mostrador de facturación, (A) avión, (T) terminal.

	I	F	A	T
a) ¿Tiene equipaje?				
b) ¿Café o té?				
c) ¿Tiene prensa en español?				
d) Llamada urgente para				
e) Su tarjeta de embarque.				
f) ¿La película se proyectará tras la cena?				
g) Iberia anuncia la salida de su vuelo IB 3488.				
h) ¿Dónde está la tienda libre de impuestos?				
i) ¿A qué hora llega este vuelo a Londres?				

PRÁCTICA ORAL

1. Por parejas preparen uno de estos diálogos.

a. En el mostrador de información del aeropuerto:

Pasajero/a	Empleado/a
- saludar	- saludar
- pedir información detallada	- dar información detallada
- despedida	- despedida

b. En el mostrador de facturación.

Pasajero/a	Empleado/a
- saludar	- saludar, preguntar destino
- indicar destino	- solicitar documentación
- presentar documentación	- preguntar deseos viajero
- indicar deseos	- preguntar por nº de piezas de equipaje
- indicar nº de piezas	- indicación puerta de embarque
- despedida	- despedida

UN POCO DE GRAMÁTICA

Realización de peticiones con el verbo PODER

El verbo PODER se utiliza en oraciones interrogativas para realizar peticiones.

Presente de indicativo:
Peticiones suaves o informales.
Ej: *¿Puedes ayudarme? ¿Podéis venir?*

Condicional:
Peticiones más formales que las anteriores.
Ej: *¿Podrías hacerme un favor? ¿Podrías venir más tarde?*

USO DE LA LENGUA

1. Imagine que su compañero/a es su secretario/a. Hágale las siguientes peticiones utilizando el verbo poder en presente de indicativo.

   Ej: *escribir un informe: ¿Puedes escribir este informe?*

   a) Que archive unos documentos.
   b) Que le reserve una habitación en un hotel.
   c) Que averigüe el horario de vuelos de Bruselas.
   d) Que le diga la hora de su vuelo a Roma.
   e) Que le traiga el correo de ese día.
   f) Que le saque un billete de tren.
   g) Que le haga una reserva para cuatro personas en un restaurante.
   h) Que cite a un cliente a las 6 de la tarde.

2. Escriba en palabras con estilo informal las horas siguientes:

   10.45; 3.55; 8.25; 7.30; 9.15; 6.10; 4.35; 1.05; 12.10; 11.00; 9.50.

3. Coloque el adverbio o locución adverbial de frecuencia entre paréntesis en el lugar más adecuado.

   a) La oficina está abierta antes de las nueve (nunca).
   b) El señor Domínguez llega temprano (siempre).
   c) No trabajamos (los sábados por la tarde).
   d) Tengo que usar el ordenador (todos los días).
   e) Las tiendas cierran (a las ocho).
   f) Voy andando al trabajo (a veces).
   g) Viajo al extranjero (con frecuencia).
   h) Tomo café después de comer (casi nunca).

3.1 La llegada

Sustantivos contables e incontables.

COMPRENSIÓN AUDITIVA

1. Escuche la conversación en la recepción del hotel y subraye la opción correcta.

   a) Los clientes llegan por la: mañana/tarde/noche.
   b) Pagan con: bono/tarjeta de crédito/en efectivo.
   c) Son dos habitaciones: dobles/triples/individuales.
   d) Los clientes tienen que: completar/rellenar/escribir la ficha.
   e) Desean: desayunar/cenar/almorzar.
   f) Las habitaciones son los números: 401 y 403/411 y 413/401 y 413.

2. Escuche y complete la conversación.

   Recepcionista: Buenos días.
         Cliente: ...., buenos días.
            R: ¿Me permite su ....?
            C: Perdone. Aquí .... tiene.
            R: Señora Osuna y Señor Lozano. Dos .... tres noches, ¿verdad?
            C: Exactamente.
            R: Rellene esta .... con sus datos. Por favor.
            C: ¿Podemos .... todavía?
            R: El restaurante está cerrado ya, pero pueden ir a la ...., al final del ....
            C: Muy bien, muchas gracias.
            R: Perdone. ¿Su número de .... o de .... de identidad?
            C: Disculpe. Ya está.
            R: .... 401 y .... en el cuarto piso. Aquí tienen las .... y la .... de bienvenida. ¿Tienen ....?
            C: Una bolsa y un ....
            R: Ahora mismo les acompañan a sus habitaciones. ¡............. ....!

3. Señale las preguntas que oiga de alguno de los clientes que están en la conserjería del hotel.

   a) ¿Me puede decir la hora?
   b) ¿Dónde hay un banco, por favor?
   c) ¿Me puede dar un plano de la ciudad?
   d) ¿A qué hora cierran los bancos?
   e) ¿Dónde está la piscina?
   f) ¿Dónde puedo comprar flores?
   g) ¿Hay alguna farmacia cerca?
   h) ¿Cómo puedo ir al parque central?
   i) ¿Para ir al centro de la ciudad?
   j) ¿Puede pedir un taxi, por favor?

3

PRÁCTICA ESCRITA

1. Estudie los diálogos y las preguntas y anote las fórmulas para:
   a) Presentarse en recepción, con reserva y sin reserva.
   b) Pedir el tipo de habitación que desea.
   c) Preguntar sobre las instalaciones y servicios del hotel.
   d) Solicitar información específica sobre algo.

VOCABULARIO

Clasifique los términos siguientes:

	Objeto	Persona	Lugar	Documento
bono				
fax				
vestíbulo				
pasaporte				
D.N.I.				
maletín				
conserjería				
recepcionista				
plano				
equipaje				
llave				
farmacia				

PRÁCTICA ORAL

1. Por parejas: preparen el diálogo en la recepción de un hotel, de acuerdo con las instrucciones.

   Cliente
   - saludar
   - presentar el bono
   - rellenar la ficha
   - preguntar horarios y servicios
     (bar, desayuno, restaurante etc.)

   Recepcionista
   - saludar, dar la bienvenida
   - comprobar la reserva
   - solicitar datos personales
   - dar información sobre los servicios solicitados
   - desear feliz estancia

2. En grupos: pregunten a sus compañeros cómo pueden llegar a los lugares que se indican a continuación, utilizando las fórmulas siguientes:

   Por favor, ¿podría decirme...?   Perdone, ¿dónde hay?   Disculpe, ¿me podría indicar dónde?
   ¿Dónde puedo encontrar...?   ¿Hay cerca...?

   - una farmacia
   - una tienda de flores
   - un restaurante típico
   - un banco

   - un estanco
   - una biblioteca
   - una agencia de viajes
   - una estación de metro

UN POCO DE GRAMÁTICA

Los sustantivos (I)

Nombres contables:

son aquellos que se pueden contar.
Ej: *un hombre, dos casas, tres árboles.*

sólo ellos tienen un verdadero plural.
Ej: *dos habitaciones* (correcto), *dos azúcares* (incorrecto).

Nombres incontables:

son aquellos que no se pueden contar.
Ej: *azúcar, agua, libertad.*

como norma general no tienen plural.
Ej: *vinos, trigos* (incorrecto).

algunos pueden utilizarse en plural en sentido enfático o figurado.
Ej: *las aguas bajaban turbias; acabaron con las libertades; tomaron unos vinos* (por unos vasos de vino) (sentido figurado).

USO DE LA LENGUA

1. Distinga cuáles de estos sustantivos son contables y cuáles incontables:

naranja	aceite	manzana	hotel	calle	edificio	oficina
empleado	pan	agua	té	café	habitación	fábrica

2. Imagínese que su compañero/a es su jefe. Hágale las siguientes sugerencias empezando con el interrogativo por qué y un verbo en presente de indicativo en forma negativa para que exprese su acuerdo o desacuerdo.

Ej: *¿Por qué no salimos esta tarde? Bueno, podemos ir al cine.*

a) Que se hospede en un hotel céntrico.
b) Que se tome unas vacaciones.
c) Que viaje a Málaga en avión.
d) Que visite todas las sucursales de la empresa.
e) Que descanse una temporada.
f) Que haga un viaje en barco.
g) Que se ponga en contacto con el jefe de contabilidad.
h) Que reciba a los clientes solamente por la mañana.
i) Que atrase la reunión.
j) Que adelante el viaje.

3. Ponga en orden los siguientes sintagmas nominales.

a) tres/días/otros/los
b) piso/tercer/el
c) más/poco/interés/de/un
d) documentos/demás/todos/los
e) menos/mucho/tiempo

f) más/muchos/proyectos
g) uno/de/cada/participantes/los
h) siete/semanas/días/los/la/de
i) dos/esos/restaurantes
j) quinto/todo/capítulo/el

3.2 Concertamos la visita

Género y número de los sustantivos.

COMPRENSIÓN AUDITIVA

1. Escuche las tres conversaciones telefónicas y anote los detalles.

	1	2	3
– Empresa que realiza la llamada			
– Empresa que recibe la llamada			
– Propósito de la llamada			
– Resultado de la llamada			

2. Escuche y compruebe si las afirmaciones son ciertas.

Primera conversación

El señor Lozano:
habla con el señor Wilson
quiere confirmar la entrevista
está en el hotel Cortés
deja un mensaje

V	F

Segunda conversación

El señor Wilson:
llama directamente al señor Lozano
confirma la entrevista a las diez
espera al señor Lozano en la fábrica

V	F

Tercera conversación

El señor Lozano:
no tiene ninguna cita por la tarde
va a comer solo con el señor Casado
queda a las 21.00 para cenar

V	F

PRÁCTICA ESCRITA

1. Una las expresiones de la columna A con las de la columna B.

A	B
1. El señor Avalón comunica.	a. ¿Me pone con su jefe?
2. Ha dejado de hablar. Le paso.	b. ¿De qué empresa?
3. Al habla.	c. Sí. ¿Dígame?
4. ¿Podría hablar con...?	d. La línea está ocupada.
5. ¿De parte de quién?	e. Le pongo.

PRÁCTICA ORAL

1. Por parejas: preparen la conversación telefónica para concertar o confirmar una entrevista.

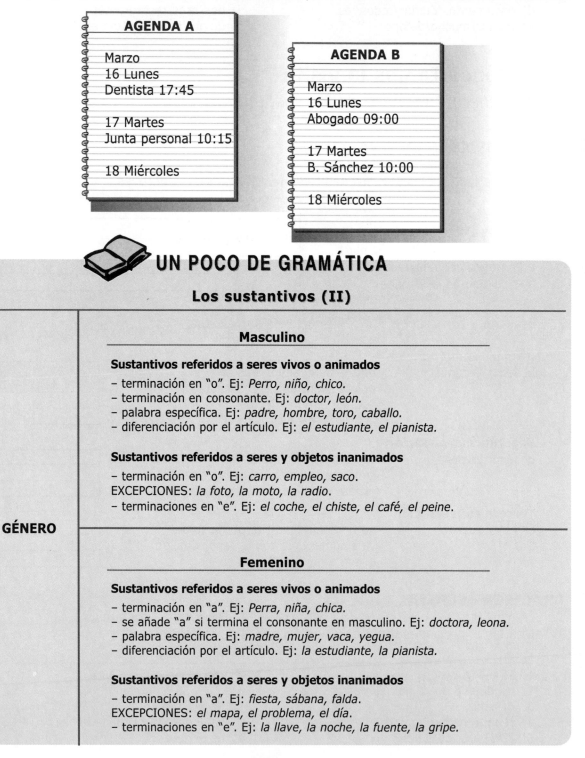

AGENDA A

Marzo
16 Lunes
Dentista 17:45

17 Martes
Junta personal 10:15

18 Miércoles

AGENDA B

Marzo
16 Lunes
Abogado 09:00

17 Martes
B. Sánchez 10:00

18 Miércoles

UN POCO DE GRAMÁTICA

Los sustantivos (II)

GÉNERO

Masculino

Sustantivos referidos a seres vivos o animados

– terminación en "o". Ej: *Perro, niño, chico.*
– terminación en consonante. Ej: *doctor, león.*
– palabra específica. Ej: *padre, hombre, toro, caballo.*
– diferenciación por el artículo. Ej: *el estudiante, el pianista.*

Sustantivos referidos a seres y objetos inanimados

– terminación en "o". Ej: *carro, empleo, saco.*
EXCEPCIONES: *la foto, la moto, la radio.*
– terminaciones en "e". Ej: *el coche, el chiste, el café, el peine.*

Femenino

Sustantivos referidos a seres vivos o animados

– terminación en "a". Ej: *Perra, niña, chica.*
– se añade "a" si termina el consonante en masculino. Ej: *doctora, leona.*
– palabra específica. Ej: *madre, mujer, vaca, yegua.*
– diferenciación por el artículo. Ej: *la estudiante, la pianista.*

Sustantivos referidos a seres y objetos inanimados

– terminación en "a". Ej: *fiesta, sábana, falda.*
EXCEPCIONES: *el mapa, el problema, el día.*
– terminaciones en "e". Ej: *la llave, la noche, la fuente, la gripe.*

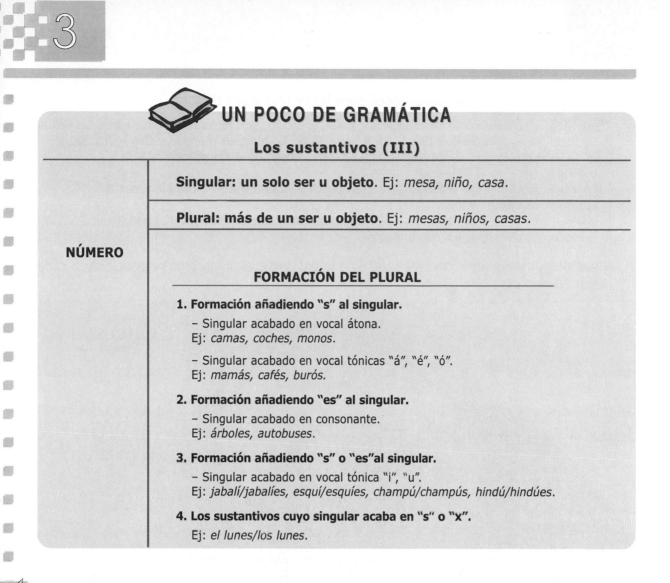

UN POCO DE GRAMÁTICA

Los sustantivos (III)

NÚMERO

Singular: un solo ser u objeto. Ej: *mesa, niño, casa*.

Plural: más de un ser u objeto. Ej: *mesas, niños, casas*.

FORMACIÓN DEL PLURAL

1. Formación añadiendo "s" al singular.

– Singular acabado en vocal átona.
Ej: *camas, coches, monos*.

– Singular acabado en vocal tónicas "á", "é", "ó".
Ej: *mamás, cafés, burós*.

2. Formación añadiendo "es" al singular.

– Singular acabado en consonante.
Ej: *árboles, autobuses*.

3. Formación añadiendo "s" o "es"al singular.

– Singular acabado en vocal tónica "í", "ú".
Ej: *jabalí/jabalíes, esquí/esquíes, champú/champús, hindú/hindúes*.

4. Los sustantivos cuyo singular acaba en "s" o "x".

Ej: *el lunes/los lunes*.

USO DE LA LENGUA

1. Forme el plural de las siguientes palabras:

limón	mármol	martes	papá	familia
legumbre	catedral	periódico	cerveza	melocotón
bicicleta	gigante	lluvia	piano	

3.3 Tenemos la tarde libre

Preposiciones de lugar y dirección.

COMPRENSIÓN AUDITIVA

1. Escuche y siga las instrucciones con el plano para ir desde el hotel hasta la oficina de turismo.

2. Escuche y complete las indicaciones para hacer una visita rápida a la ciudad.

Señorita: La plaza de enfrente es la de San Lorenzo. Si .... por este paseo, llegan a la .... Mayor, al Ayuntamiento y al .... A la .... están las antiguas murallas y San Pedro. También, pueden .... al cerro de Santa Catalina. Tienen unas magníficas vistas al ....

Lozano: ¿Qué zona nos sugiere para ir a ....?

Señorita: Alrededor de la Plaza ...., hay muchos restaurantes y, también, por el ....

Lozano: ¿Y para ir a los ....?

Señorita: Están al otro lado de la .... de poniente, pero pueden .... un taxi.

Lozano: Muchas gracias. Muy amable.

3. Escuche de nuevo las conversaciones anteriores; anote el número correspondiente a cada lugar en el plano.

– Hotel Hernán Cortés: – Palacio de Revillagigedo:
– Calle y Jardines de Begoña: – Iglesia de San Pedro:
– Oficina de turismo: – Termas y murallas romanas:
– Playa de San Lorenzo: – Cerro de Santa Catalina:
– Plaza Mayor y Ayuntamiento: – Puerto:

4. Escuche el diálogo en el restaurante y señale las comidas y bebidas que oiga.

sopa de arroz	merluza a la sidra	güisqui
ensalada de bonito	ternera asada	cerveza
pollo con tomate	calamares	vino tinto
paella	macarrones	vino rosado
entremeses	fabada	vino blanco
besugo	menestra de verduras	agua mineral
bacalao	ensaladilla	licor
entrecot al cabrales	chuletón	

5. Escuche el diálogo en el restaurante y anote lo que piden los clientes.

	Ella	Él
Primer plato		
Segundo plato		
Postre		
Bebida		
Licor y café		

PRÁCTICA ESCRITA Y ORAL

1. Por parejas preparen por escrito y después dramaticen uno de los siguientes diálogos:

a. Tiene que invitar a un cliente que desea ir a un restaurante típico: elija el restaurante y los platos y bebidas que le recomendaría.

b. Después de leer los anuncios de los restaurantes elija el que más le guste y comente su elección con su compañero.

2. Por parejas: preparen por escrito y a continuación formulen oralmente las preguntas y respuestas para ir a los siguientes lugares que aparecen en el plano.

- Del hotel a correos
- De correos a la catedral
- De la catedral a la imprenta
- De la imprenta al ministerio
- De la cafetería al banco
- Del banco a la oficina

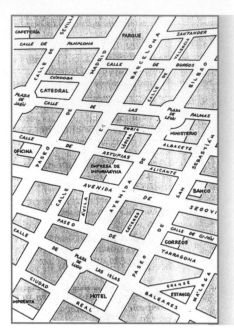

 **UN POCO DE GRAMÁTICA**

Preposiciones de lugar y dirección

A	Dirección hacia donde se dirige alguien o algo. Ej: *Voy a casa. Este autobús va a Burgos.*
Ante	Situación delante o en presencia de algo o alguien. Ej: *Está sentado ante la ventana. Se presentó ante el tribunal.*
De	Punto de partida en dirección a un lugar, distancia de un lugar. Ej: *Este avión va de Madrid a Roma. Hay más de 400 km de París a Burdeos.*
Desde	Punto de partida en dirección a un lugar, distancia de un lugar. Ej: *El AVE va desde Madrid a Sevilla. Desde mi oficina a tu casa hay menos de un kilómetro.*
En	En un lugar. Ej: *Está en la oficina.* Sobre una superficie. Ej: *Dejó la carpeta sobre la mesa.* Dentro de un lugar o volumen. Ej: *La camisa nueva está en el armario.*
Entre	Posición intermedia entre dos lugares. Ej: *Castellón está entre Valencia y Tarragona.*
Hacia	Dirección hacia donde se dirige alguien o algo. Ej: *Van hacia el sur de Madrid. El avión se dirige hacia el norte.*

USO DE LA LENGUA

1. Rellene los huecos utilizando la preposición más adecuada.

a) ¿............... dónde me llamas?
b) No sé .... qué te has molestado.
c) ¿............... qué empresa trabajas?
d) ¿............... dónde te diriges?
e) Volveré .... casa .... cuánto termine la reunión.
f) El informe estará acabado .... hoy y mañana.
g) ¿............... quieres que te lo envíe?
h) No me iré .... que termine la reunión del consejo.

REGLAS DE ACENTUACIÓN

EL USO DE LA TILDE

1. **Palabras agudas con tilde:**
   a. Las acabadas en vocal.
      Ej: *habló, esquí, Alá, papá, pagaré, vendrá.*

   b. Las terminadas en consonante "n" o "s".
      Ej: *cupón, interés, maletín, vendrás.*
      El resto de las palabras agudas acabadas en consonante no llevan tilde.
      Ej: *invalidez, acreedor, coral.*

2. **Palabras graves con tilde:**
   a. Las acabadas en consonante, excepto "n" o "s".
      Ej: *bursátil, superávit, árbol.*

      Las palabras graves en vocal, "n" o "s" no llevan tilde.
      Ej: *activo, letra, margen, bonos.*

3. **Palabras esdrújulas:**
   Todas llevan tilde.
   Ej: *rédito, trámite, cámara, crédito.*

2. Indique cuál de las siguientes palabras que aparecen sin tilde deben llevarla.

a) amor
b) economico
c) ambicion
d) antiguo
e) donde

f) cariño
g) credito
h) armazon
i) ademas
j) casa

4 Visita de negocios

4.1 Primer contacto

El pretérito perfecto simple de indicativo.

COMPRENSIÓN AUDITIVA

1. Escuche los diálogos e indique la respuesta correcta.
   a) La cita es a las: 11.15 / 12.00 / 11.00
   b) La señora Oliveri llega: en punto / antes / después de la hora.
   c) A las 11.15, el señor Herrera está: en su despacho / en una reunión / en la cafetería.
   d) Ofrecen siempre: refrescos / café / té.
   e) El primer contacto fue: por fax / en una feria / en la recepción.

2. Escuche el diálogo e indique quién realiza las funciones siguientes.

	Recepcionista	Sra. Oliveri	Sr. Herrera
Saludar			
Dar explicaciones			
Ofrecer café			
Expresar opinión			
Ofrecer asiento			
Dar nombre y apellidos			
Iniciar conversación de negocios			

PRÁCTICA ESCRITA

1. Complete el cuestionario de acuerdo con las ideas sobre la conducta profesional. A continuación compare sus respuestas con las de sus compañeros.

	Sí	No
1. Horarios		
– Concertar citas antes de las nueve.		
– Llegar 15 minutos antes.		
– Almuerzo a las 14.30		
– Telefonear al domicilio particular después de las 23.00 horas.		
2. Presentaciones		
– Saludar con la cabeza.		
– Dar la mano.		
– Dar la mano y sonreír.		
– Dar la mano y una palmadita en el hombro.		
– Saludar con las dos manos.		
3. Primera entrevista		
– Ofrecer un obsequio típico de su país.		
– Llevar un regalo corporativo.		
– Invitar a comer o cenar.		
– Insistir en visitar las instalaciones.		

PRÁCTICA ORAL

1. Por parejas: preparen la conversación de acuerdo con

Usted
- Saludar
- Ofrecer ayuda (abrigo, paraguas)
- Invitar a sentarse
- Ofrecer una bebida
- Iniciar una conversación

Cliente
- Presentarse
- Indicar objeto de la visita
- Aceptar / rechazar ayuda
- Aceptar / rechazar
- Mantener conversación

4

 **UN POCO DE GRAMÁTICA**

El pretérito perfecto simple de indicativo
(pretérito indefinido)

---

1. USOS:

a) Expresión de acciones acabadas en un momento concreto del pasado.

Ej: *El mes pasado estuve en Londres.*
Ayer visité la sucursal de Mataró.
Nuestra empresa obtuvo beneficios en 1996.
Shakespeare vivió en el siglo XVII.

b) Expresión de acciones terminadas en un momento indefinido del pasado.

Ej: *Cervantes escribió "El Quijote".*
Mi padre estudió medicina en Salamanca.

2. FORMAS:

a) Regulares:

1ª Conjugación -AR	2ª Conjugación -ER	3ª Conjugación -IR
canté	temí	escribí
cantaste	temiste	escribiste
cantó	temió	escribió
cantamos	temimos	escribimos
cantasteis	temisteis	escribisteis
cantaron	temieron	escribieron

b) Irregulares:

En muchos casos, la forma del pretérito perfecto simple de indicativo no sigue las formas regulares de conjugación:

Ej: 1ª conjugación: andar, estar, dar
2ª conjugación: poder, traer, tener, haber
3ª conjugación: traducir, decir, ir, venir, conducir

1ª Conjugación -AR		2ª Conjugación -ER			3ª Conjugación -IR		
estar	**andar**	**traer**	**tener**	**haber**	**ir**	**decir**	**venir**
estuve	anduve	traje	tuve	hube	fui	dije	vine
estuviste	anduviste	trajiste	tuviste	hubiste	fuiste	dijiste	viniste
estuvo	anduvo	trajo	tuvo	hubo	fue	dijo	vino
estuvimos	anduvimos	trajimos	tuvimos	hubimos	fuimos	dijimos	vinimos
estuvisteis	anduvisteis	trajisteis	tuvisteis	hubisteis	fuisteis	dijisteis	vinisteis
estuvieron	anduvieron	trajeron	tuvieron	hubieron	fueron	dijeron	vinieron

USO DE LA LENGUA

1. Por parejas: pregunte a su compañero/a por qué no hizo estas cosas. La respuesta deberá empezar con "porque" más un pretérito perfecto simple.

    Ej: *Guardar el dinero en la caja fuerte.*
    Pregunta: *¿Por que no guardaste el dinero en la caja fuerte?*
    Respuesta: *Porque sólo salí a desayunar.*

    a) No llegar a tiempo a la cita.
    b) Establecerse en Madrid.
    c) Comprar tantos sellos de correos
    d) No viajar en avión en vez de en tren.
    e) No cobrar el cheque.
    f) No aceptar las condiciones del acuerdo.
    g) No ir a trabajar ayer.
    h) No salir de la oficina más temprano.

2. Ponga el verbo entre paréntesis en la forma correcta del pretérito perfecto simple.

    a) Yo .... español cuando estaba en el colegio. (estudiar)
    b) La empresa .... hace dos años. (cerrar)
    c) El señor Martín y su esposa .... en este hotel. (alojarse)
    d) ¿Que .... ayer? No.......... nada. (hacer)
    e) Esta tienda .... la semana pasada. (abrir)
    f) La reunión .... dos horas. (durar)
    g) ¿Quién .... la carta? (firmar)
    h) ¿Quienes .... esta compañía? (fundar)
    i) Nos .... hace mucho tiempo. (conocimos)
    j) ¿Qué .... anoche? (ocurrir)

3. Complete los espacios en blanco con la forma correcta del pretérito perfecto simple de los verbos "ser" o "estar":

    a) El representante .... aquí ayer.
    b) La conferencia .... muy interesante.
    c) ¿Quién .... el culpable del error?
    d) .... hablando de eso con ellos anoche.
    e) ¿..........en la Feria del Mueble? No, no pude ir.
    f) Isabel .... mi secretaria durante dos años.
    g) Esta mañana .... lloviendo mucho.
    h) Esta compañía .... fundada por uno de mis antepasados.
    i) .... director hasta que me jubilé.
    j) Mi hermano y yo .... sus representantes en exclusiva hasta 1996.

4.2 Las nuevas instalaciones

COMPRENSIÓN AUDITIVA

1. Escuche la distribución de los dos edificios y anote en el plano el número correspondiente a las instalaciones y despachos.

Edificio antiguo   **Edificio moderno**

1. Sala de exposiciones	8. Servicios
2. Recursos Humanos	9. I + D
3. Dirección General	10. Dirección Financiera
4. Sala de Juntas	11. Marketing
5. Contabilidad	12. Almacén
6. Reprografía	13. Administración
7. Cafetería	14. Servicio médico

2. Escuche las instrucciones de la recepcionista y complete la distribución de los despachos.

PRÁCTICA ESCRITA

1. Estudie el plano y responda:

	V	F
a) La cafetería está en el edificio nuevo.		
b) Los dos edificios tienen tres plantas, además de la planta baja.		
c) El despacho del Director General está en la planta segunda del edificio nuevo.		
d) Hay varias salas de reuniones.		
e) I + D significa Investigación y Desarrollo.		
f) El almacén está junto al cuarto de las fotocopiadoras.		

PRÁCTICA ORAL

1. Por parejas: formule preguntas a su compañero/a para dirigirse a las distintas dependencias y despachos del plano.

    Ej: – *Por favor, ¿dónde está el Departamento de Marketing?*
        – *Está en la segunda planta, enfrente de los ascensores.*

2. Diseñe su despacho, distribuyendo el mobiliario y los objetos de oficina; a continuación formule preguntas a su compañero/a para comparar sus despachos.

    - mesa y sillón de despacho
    - sillón y sillas para visitas
    - teléfono y fax
    - reloj
    - calendario

    - lámparas
    - archivador y librería
    - papelera
    - agenda y material de oficina
    - planta

    ◄———————— 12 metros ————————►

    6 metros

4.3 Organización de la empresa

COMPRENSIÓN AUDITIVA

1. Escuche la presentación de la empresa y rellene el organigrama:

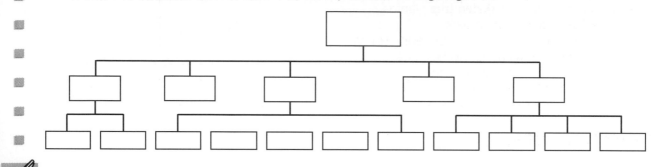

PRÁCTICA ESCRITA

1. Clasifique las actividades de las empresas de acuerdo con el sector al que pertenecen.

   a. Sector primario

   b. Sector secundario

   c. Sector terciario

   1. Empresas dedicadas a los servicios: transporte, turismo, seguros, formación, comunicaciones, consultoría, etc.

   2. Empresas dedicadas a la obtención de materias primas: ganadería, pesca, minería, agricultura, maderas, etc.

   3. Empresas transformadoras de materias primas y dedicadas a procesos industriales: químicas, siderúrgicas, textiles, automovilísticas, etc.

2. Indique las funciones de la dirección y las de los departamentos de una empresa.

   a. Dirección

   b. Recursos Humanos

   c. Producción

   d. Administrativo y financiero

   e. Comercial

   1. Fabricación; investigación y desarrollo de productos; control de calidad; control de existencias.

   2. Contabilidad; presupuestos y control de gastos.

   3. Promoción de ventas; servicios postventa; investigación de mercados; distribución.

   4. Selección y contratación de personal; salarios; formación.

   5. Fijación de objetivos; elección de medios; diseño del organigrama; coordinación de recursos; sistemas de evaluación.

3. Rellene la ficha que aparece a continuación:

Nombre de la empresa: .... Sector:.......................................

Razón social: .... Nº de empleados: ....

Forma jurídica: ....

Organización: ....

Cargo: ....

Funciones y responsabilidades: ....

PRÁCTICA ORAL

1. Por parejas: describa a su compañero/a las actividades y funciones que desempeña en su empresa.

VOCABULARIO

1. Indique a qué sector de la actividad económica se refieren las palabras siguientes:

– cadena de montaje
– servicio postventa
– tractor
– cultivos de invernadero
– cuenta corriente
– hipoteca

– alto horno
– hilatura
– plástico
– granja avícola
– cereales
– seguro de daños

2. Dé una lista de cinco palabras relacionadas con cada una de las actividades siguientes:

Cultivos de invernadero
....
....
....
....
....

Industria del automóvil
....
....
....
....
....

Actividad bancaria
....
....
....
....
....

Telecomunicaciones
....
....
....
....
....

5 Un día de trabajo

5.1 El día a día

Perífrasis verbales: la perífrasis "estar + gerundio" y el presente de indicativo.

COMPRENSIÓN AUDITIVA

1. Escuche la descripción de un día de trabajo del Sr. Villalba y compruebe las anotaciones de la agenda.

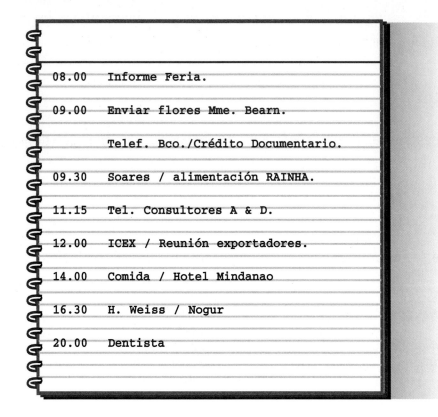

```
08.00    Informe Feria.

09.00    Enviar flores Mme. Bearn.

         Telef. Bco./Crédito Documentario.

09.30    Soares / alimentación RAINHA.

11.15    Tel. Consultores A & D.

12.00    ICEX / Reunión exportadores.

14.00    Comida / Hotel Mindanao

16.30    H. Weiss / Nogur

20.00    Dentista
```

2. Escuche nuevamente la grabación y señale la respuesta correcta.

	Sí	No	?
El señor Villalba:			
a. Viaja mucho.			
b. Empieza a trabajar a las ocho.			
c. Toma mucho café.			
d. Lee el periódico en la oficina.			
e. Habla mucho por teléfono.			
f. Tiene reuniones formales e informales.			

PRÁCTICA ESCRITA

1. Una las preguntas con las respuestas.

A	**B**
a. ¿A qué hora empieza a trabajar?	1. Sí, a las 7 de la tarde.
b. ¿Tiene muchas citas de negocios?	2. Está preparando un informe.
c. ¿Cuándo firma la correspondencia?	3. A las 8 de la mañana.
d. ¿Qué está haciendo ahora?	4. Unas veinte a la semana.
e. ¿Se reúne con sus colaboradores?	5. Antes de irme a casa.

2. Señale las actividades habituales y las que se están realizando ahora.

	Habituales	Ahora
a. Está poniendo un fax.		
b. Viaja al extranjero todos los meses.		
c. Las entrevistas son por la mañana.		
d. Estoy redactando un memorándum.		
e. Creo que está trabajando.		
f. Estamos discutiendo un proyecto.		
g. Trabajo ocho horas al día.		

PRÁCTICA ORAL

1. En grupos de cuatro: formule a sus compañeros/as preguntas sobre su jornada laboral en relación con los aspectos que se señalan a continuación:

   Ej: *¿Tienes muchas reuniones cada semana?*
   Generalmente una, pero últimamente estamos teniendo una los lunes y otra los viernes.

   Horario de trabajo:
   Frecuencia de las reuniones:
   Cantidad de llamadas telefónicas:
   Citas con clientes o proveedores:
   Comidas o cenas de negocios:
   Viajes:

UN POCO DE GRAMÁTICA

Perífrasis verbal ESTAR + GERUNDIO

1. USOS:

- Expresión de "acción o situación en el momento presente"

Expresa acciones o situaciones que se están produciendo en el momento actual, sin que se especifique ni cuándo empezaron, ni cuándo acabarán: *Estoy trabajando con el ordenador*. En contraposición con el uso del presente de indicativo para expresar Presente habitual (acciones que suceden con carácter habitual aunque no sucedan en el mismo momento en que se habla: *Escribo mis trabajos con ordenador*).

- Presente durativo

Expresa acciones de carácter transitorio: *Estoy trabajando en un restaurante*. Mientras que las acciones de larga duración que incluyen el tiempo actual se expresan mediante el uso del presente de indicativo: *Estudio español*.

2. FORMA:

Presente de indicativo del verbo "estar" + gerundio del verbo que se conjuga: *Ana está estudiando. Pedro esta hablando por teléfono. Estoy esperando una llamada.*

USO DE LA LENGUA

1. Utilice la perífrasis "estar + gerundio" en lugar del verbo entre paréntesis.

   a) ¿Quién (hablar) por el otro teléfono?
   b) No (llover) en este momento.
   c) ¿Qué (hacer) ustedes? (Esperar) al Sr. Jiménez.
   d) Los empleados (comentar) el problema.
   e) (Esperar) el autobús. Nunca voy en coche al trabajo.
   f) Enrique y yo (trabajar) en el proyecto.
   g) Ahora (llover) mucho.
   h) Los dos teléfonos (sonar).
   i) ¿En qué (pensar) ustedes?
   j) ¿Quienes (moderar) la sesión?

2. Utilice la perífrasis "estar + gerundio"o el presente de indicativo, según convenga en lugar del verbo entre paréntesis.

   a) El director (hablar) por teléfono con la sucursal de Roma todas las semanas.
      José Luis (hablar) por teléfono desde hace una hora.
   b) Mi jefe (trabajar) en la empresa desde 1990.
      (Yo) (trabajar) mucho últimamente.
   c) (Esperar) que me llamen de dirección.
      Mi hermana (esperar) conseguir el empleo.
   d) (Vivir) en Bogotá porque (construir) un edificio de oficinas.
      (Vivir) en Madrid desde que nací.
   e) Todos los días se (aprender) algo nuevo.
      (Yo) (aprender) mucho en este seminario.

5.2 Estamos creciendo

COMPRENSIÓN AUDITIVA

1. Escuche la grabación e indique el orden en que se mencionan los siguientes bienes de consumo.

vino		muebles	
pescado		calzado	
azulejos		aceite	
coches		vestidos	

2. Escuche de nuevo la grabación y elija la respuesta correcta.

1. EXPOCONSUMO es una feria de:
   a) alimentación   b) tecnología   c) bienes de consumo

2. En EXPOCONSUMO han participado:
   a) más de 300 empresas   b) 300 empresas   c) más de 300 empresas españolas

3. Japón importa de España:
   a) materias primas   b) pescado fresco   c) olivos
                               o congelado

4. En Japón, el consumo de productos españoles está:
   a) interesando   b) aumentando   c) reduciéndose

PRÁCTICA ESCRITA

1. Relacione las siguientes tendencias con su representación gráfica.
   a) La demanda está aumentando.
   b) Los precios están fluctuando.
   c) Las ventas están descendiendo.
   d) La oferta se está manteniendo constante.
   e) El mercado se está estabilizando.

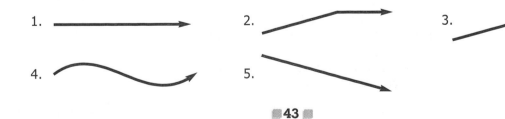

2. Redacte la definición de los siguientes tipos de bienes:

a) Bienes de consumo.
b) Bienes de consumo perecederos.
c) Bienes de consumo duraderos.
d) Bienes de equipo.

PRÁCTICA ORAL

1. Por parejas: compruebe sus definiciones con las de su compañero/a y pídale que dé ejemplos de cada tipo.

5.3 Encuentro con un amigo

Perífrasis verbales: "acabar de + infinitivo",
"llevar + gerundio".

COMPRENSIÓN AUDITIVA

1. Escuche la primera conversación y señale las expresiones que oiga.

Saludos	Despedidas	Concertar citas
Buenos días	Adiós	¿A qué hora te puedo ver?
Hola	Hasta la vista	¿Quedamos en...?
Encantado	Hasta luego	¿Nos podemos ver esta tarde?
Al habla	Un abrazo	¿Le viene bien?
Estimado amigo		¿Te viene bien?

2. Escuche la segunda conversación y conteste.

a) Gonzalo llega tarde y se disculpa. ¿Qué dice?
b) Manolo le pregunta por su familia. ¿Qué dice?
c) Gonzalo quiere saber la opinión de Manolo. ¿Qué dice?
d) Manolo da su opinión. ¿Qué dice?

3. Escuche la misma conversación y complete las frases.

   a) Siento llagar tarde, pero es que .... está imposible.
   b) No te preocupes yo .... de llegar.
   c) Estamos pensando en .... nuestros vinos en el mercado.
   d) Me parece un momento ....
   e) Los blancos están teniendo una magnífica ....

PRÁCTICA ESCRITA

1. Utilice la perífrasis verbal "acabar de + infinitivo " en lugar de la oración correspondiente.

   Ej: *Hemos visto el anuncio. / Acabamos de ver el anuncio.*

   a) He conocido al Sr. Martínez.
   b) Hemos celebrado la reunión.
   c) Habéis cometido un error.
   d) Han tenido una asamblea.
   e) Hemos recibido la carta.
   f) He firmado el convenio de cooperación.
   g) La Sra. García ha regresado de su viaje.
   h) Han salido.
   i) Hemos terminado la asamblea.
   j) Han llegado de Atenas.

PRÁCTICA ORAL

1. Lea la lista de temas de conversación y señale aquéllos sobre los que hable con sus amigos y por qué.

   – Deportes
   – Salud
   – Política
   – Noticias del corazón
   – Programas de televisión
   – Trabajo
   – Familia
   – Coches
   – Relaciones de amistad
   – Relaciones sentimentales

2. Señale aquellos temas de los que nunca habla y el motivo para ello.

3. En grupos de cuatro: comparen sus resultados. A continuación elijan uno de los temas para mantener una conversación en tono informal.

VOCABULARIO

1. Indique que palabras de la siguiente lista se refieren a artículos de consumo:

	Sí	No
Cerveza		
Herramientas		
Cenicero		
Camión		
Diccionario		
Maletero		
Negocio		
Contenedor		
Válvula		
Producción		
Contable		
Balón		

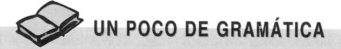

UN POCO DE GRAMÁTICA

Perífrasis verbal ACABAR DE + INFINITIVO

USO:
Expresa una acción en el momento mismo de producirse o al cabo de muy poco tiempo:
Ej: *Acabo de terminar de leer este libro.*
Marta acaba de volver de Alemania.

Perífrasis verbal LLEVAR + GERUNDIO

USO:
Acciones en las que se señala su comienzo con una referencia temporal concreta y que siguen produciéndose en el momento que se expresan.
Ej: *Llevo estudiando desde las siete.*
Llevan trabajando en la empresa desde que les conozco.

USO DE LA LENGUA

1. Transforme las oraciones siguientes en otras que contengan la perífrasis "llevar + gerundio".

   Ej: *Hace diez años que vivo en Madrid.*
   Llevo diez años viviendo en Madrid.

   a) Hace dos meses que trabajo en un supermercado.
   b) Hace tres horas que estamos esperándole.
   c) Hace tres meses que comen en la misma cafetería.
   d) Hace dos semanas que estamos negociando el convenio.
   e) Hace cinco años que mi secretaria trabaja conmigo.
   f) ¿Cuánto tiempo hace que estudias español?
   g) Hace un año que dejó de trabajar aquí.
   h) Hace diez años que no le veo.
   i) Hace poco tiempo que uso este producto.
   j) ¿Cuánto tiempo hace que salís juntos?

REGLAS DE ACENTUACIÓN

ACENTUACIÓN DE DIPTONGOS

Definición de diptongo:
Es la unión de una vocal abierta (*a, e, o*) y otra cerrada (*i, u*) o de dos vocales cerradas en una sola sílaba.

1. **Acentuación cuando la sílaba tónica contiene diptongo:**

   – El acento se coloca sobre la vocal abierta:
   Ej: *acción, periódico.*

   – Si las dos vocales son cerradas se coloca sobre la última:
   Ej: *cuídate, miéntele, ruégale.*

2. **Acentuación por deshacer el diptongo:**
   Si el acento recae sobre la vocal cerrada en un diptongo, en una palabra que no debe acentuarse según la regla general, se acentúa la vocal cerrada para deshacer el diptongo:
   Ej: *vendría, teneduría, acentúa.*

1. Rellene los espacios en blanco con la contracción "del" o "al" según corresponda.

   Ej: *Vengo .... (del/al) cine.*
   Vengo del cine.

   a) Se quejaron .... mal tiempo.
   b) Nos sorprendimos .... precio tan bajo.
   c) Se quejaron .... Director.
   d) Se asustaron .... riesgo que había que correr.
   e) Se puso .... frente .... negocio cuando su padre se jubiló.
   f) Me informaron .... éxito que habían tenido.
   g) Nunca llegó ....trabajo a tiempo.
   h) Me olvidé de llamar .... electricista.

2. Rellene los huecos con la preposición adecuada.

   a) ¿Asististeis .... la junta?
   b) Ayer pasamos .... tu oficina camino .... la estación.
   c) ¿......... qué te ríes?
   d) Mi jefe no vuelve .... el lunes.
   e) ¿......... dónde vas?
   f) Me gusta pasear .... el campo.
   g) Convirtió su antiguo despacho .... en sala de espera.
   h) No le he vuelto a ver .... que le despidieron.
   i) Trabaja .... cuatro .... ocho de la tarde.

3. Acentúe las palabras subrayadas que lo necesiten y señale los motivos para que lleven tilde o no.

   a) Considero este asunto una perdida de tiempo.
   b) Él no acepto nuestras condiciones.
   c) No acepto que quieras salir antes de tiempo.
   d) Juan no considero que su comportamiento fuera motivo de critica.
   e) Saco la poliza del seguro la semana pasada.
   f) Echo un vistazo al informe y dijo que no había ningun error.

4. Rellene los espacios en blanco en el tiempo y forma adecuados con uno de los verbos que aparecen en el recuadro.

correr	presentar	hacer	echar	tener	contar	jugar	ir	aprobar	concertar

   a) Mi amigo Pedro y yo .... a clase de español dos veces por semana.
   b) El director .... un chiste cuando estábamos a mitad de la reunión.
   c) .... una reclamación ayer porque estamos muy descontentos.
   d) ¿En qué fecha .... usted el pedido?
   e) La empresa .... un grave riesgo de quiebra.
   f) .... una entrevista porque me interesa el empleo.
   g) ¿Crees que .... el examen de ayer?
   h) Nunca .... a la lotería porque no creo en los juegos de azar.
   i) Tu socio me .... la culpa de todo.
   j) ¿Alguien .... un bolígrafo?

5. **Marque la respuesta correcta:**

1. No .... hagas esperar mucho tiempo.
   a) lo　　　b) le　　　c) la

2. Di .... el precio.
   a) las　　　b) los　　　c) les

3. Llega usted muy tarde .... siento.
   a) le　　　b) la　　　c) lo

4. No llegué a tiempo .... perdí el avión de las 6.
   a) para que　b) porque　　c) por qué

5. Dudo .... su capacidad .... los negocios.
   a) de/para　b) para/de　　c) en/a

6. Gire .... la izquierda.
   a) de　　　b) en　　　c) a

7. Este fax es .... usted.
   a) a　　　b) para　　　c) por

8. ¿........ vienen esta noche?
   a) quién　　b) quiénes　　c) cuáles

9. .... en una fábrica de automóviles desde los 20 años.
   a) trabajo　b) estoy trabajando　c) trabajé

10. a) Acaba de llegar de Londres ayer.
    b) Acaba de llegar de Londres hace diez horas.
    c) Acaba de llegar de Londres.

6. **Por parejas: pídale a su compañero/a que realice las siguientes acciones utilizando el trato formal.**

Ej: *Cerrar las ventanas.*
    Cierren las ventanas.

a) Asistir a la conferencia.
b) Anotar los datos.
c) Ponerse a trabajar.
d) Irse de vacaciones.
e) Escuchar con atención.
f) Volver mañana.
g) Leer el contrato.
h) Apagar el teléfono.

7. **Cambie estas oraciones a estilo informal.**

Ej: *Tráigame la carpeta azul.*
    Tráeme la carpeta azul.

a) Llame por teléfono si quiere.
b) Siéntese.
c) Hablen más bajo.
d) Diga la verdad.
e) Busque su asiento.
f) Esperen aquí.
g) Póngase de pie.
h) Tengan un poco de paciencia.
i) Anoten las señas.
j) Lea el fax.

8. **Utilice las palabras que están desordenadas para componer una oración correcta.**

Ej: *España / de / sur / recorro / norte / todos / a / años / los*
    Recorro España de norte a sur todos los años.

a) a / plazos / al / o / contado / puedes / pagar
....

b) esta / lleva / empresa / de / más / años / diez / funcionando
....

c) aciones / están / si / precio / buen / a / compra
....

d) de / una / hacer / acabamos / demostración / la / máquina / de
....

e) entrada / firmar / tenemos / que / la / a / todos / días / los
....

f) sus / ideas / estoy / no / acuerdo / de / con
....

g) cada / exportamos / naranjas / más / año
....

h) vacaciones / Brasil / de / pasado / el / fui / verano / a
....

6 Acuerdos

6.1 Tenemos que vernos

Perífrasis verbales: "tener que + infinitivo
"ir a + infinitivo.

COMPRENSIÓN AUDITIVA

1. Escuche la conversación telefónica y señale los términos que oiga

- mañana	- enero	- invierno	- teléfono	- folleto
- tarde	- febrero	- primavera	- mes	- programa
- noche	- marzo	- verano	- imprenta	- texto
	- abril	- otoño	- agenda	- fotos
	- mayo		- oficina	- fotografías

2. Escuche la conversación telefónica y elija la opción correcta.

   1. Carlos va a ir a:
       a) llamar por teléfono
       b) la imprenta
       c) un programa de televisión

   2. Carlos llama por teléfono porque tiene:
       a) un programa de verano.
       b) una imprenta.
       c) algunas dudas.

   3. Antonio va a ir a :
       a) una presentación a las siete.
       b) una entrevista.
       c) una presentación a las ocho.

PRÁCTICA ESCRITA

1. Resuma la conversación de Antonio y Carlos.

Carlos	Antonio
- Mañana va a ir a	- Tiene que elegir ....
- Tiene que ver a	- Necesita el folleto ....
- Tiene que comprobar	- Va a ir a ....
- A las cinco va a estar en	- Tiene que ver a ....

2. Use el verbo en la forma correcta para completar la perífrasis verbal "tener que + infinitivo"

a) .... que cancelar la cita porque no podemos acudir.
b) ¿Quién .... que pagar la factura?
c) ¿Qué .... que hacer ustedes ahora? .... que posponer la reunión.
d) El jefe de contabilidad .... que responder a todo esto.
e) Todos los empleados .... que quedarse a hacer horas extras.
f) No puedes tomarte las vacaciones ahora .... que cancelar el viaje.
g) ¿Qué .... que hacer los demás?
h) .... que darnos prisa; es tarde.
i) .... que madrugar todos los días porque vivo lejos del trabajo.
j) El Sr. Sánchez y su equipo .... que tratar de aumentar las ventas.

PRÁCTICA ORAL

1. Por parejas: formule preguntas a su compañero/a sobre el problema planteado en la conversación telefónica entre Antonio y Carlos.

2. Por parejas: preparen una conversación telefónica de acuerdo con las instrucciones siguientes:

- Tienen un problema en la empresa.
- Tienen que celebrar una reunión para tomar decisiones sobre ese problema.
- Sugieren un lugar y la fecha para reunirse.

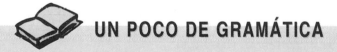

UN POCO DE GRAMÁTICA

Perífrasis verbal IR A + INFINITIVO

USO:

Expresa una acción o situación que se producirá en un futuro inmediato.
Ej: *La reunión va a ser muy desagradable.*

Cuando el sujeto es personal implica intencionalidad.
Ej: *Voy a ir a verte esta tarde. Isabel va a estudiar Económicas.*

Perífrasis verbal TENER QUE + INFINITIVO

USO:

Acciones de futuro en las que el hablante enfatiza su carácter de obligación o necesidad.
Ej: *Tienes que trabajar más. Esta tarde tengo que ir a la biblioteca.*
   Tienes que comprar un coche nuevo. No tienes que pensártelo tanto.

USO DE LA LENGUA

1. Utilice la perífrasis "tener que + infinitivo" en lugar de las oraciones siguientes.

   Ej: *Es necesario que vengas/ Tienes que venir.*

   a) No es necesario que dejes ningún mensaje.
   b) Es necesario que le avises lo antes posible.
   c) Necesita comprarse un ordenador nuevo.
   d) No necesito enviar un fax a nadie.
   e) No hace falta que esperen.
   f) Es imprescindible que (ustedes) asistan a la junta de accionistas.
   g) ¿Necesitáis quedaros hasta el día quince?
   h) Es necesario que todo el mundo sea puntual.

2. Use el verbo "ir" en la forma correcta para completar la perífrasis verbal "ir a + infinitivo".

   a) .... a comprarme un apartamento en la playa.
   b) ¿Dónde .... a pasar las vacaciones?
   c) ¿Quién .... a ayudarte a hacer el estudio de mercado?
   d) ¿Qué .... a hacer? .... a quedarme a vivir en Berlín unos meses.
   e) Juan y yo .... a cobrar lo mismo.
   f) No .... a darte una respuesta todavía.
   g) ¿Sr. Sánchez , ... usted a cancelar el pedido?
   h) No .... a cancelar la cita porque quiero dejar las cosas claras.

3. Exprese las ideas siguientes mediante la perífrasis "ir a + infinitivo", utilizando la forma verbal correspondiente al sujeto entre paréntesis.

   Ej: *estudiar alemán este curso (yo) / Voy a estudiar alemán este curso.*

   a) aprender a escribir a máquina este invierno. (yo)
   b) utilizar Internet para obtener información sobre medicina deportiva. (nosotros)
   c) ir a cenar con unos amigos esta noche. (ella)
   d) no discutir por algo sin importancia. (nosotros)
   e) cuadrar el balance como sea . (yo).
   f) comprar un microondas. (ellos)
   g) construir un edificio inteligente. (ella)

6.2 Telefonéame
El futuro de indicativo.

COMPRENSIÓN AUDITIVA

1. Escuche y tome notas de los mensajes grabados en el contestador.

   a) Para el señor ....
      Del señor ...., de la empresa ....

   b) Para el señor ...., de la empresa ....
      De la señora ...., de la empresa ....

   c) Para ....
      De ....

2. Complete la información sobre las tres comunicaciones.

    a) El señor ...., de ...., llama al señor ...., de ....
       Número de teléfono:
       Mensaje:

    b) La señora ...., de la empresa ...., llama al señor ...., de la
       empresa ....
       Hotel:
       Número de habitación:
       Mensaje:

    c) .... telefonea a .... para hablar sobre ....
       Mensaje:

3.- Tome nota de las fórmulas utilizadas para expresar:

    - Saludos y cortesía.   - Instrucciones.
    - Identificación personal.   - Indicación de horarios.
    - Identificación comercial.   - Despedidas.

PRÁCTICA ESCRITA

1. Prepare el texto para grabar en el contestador automático de una empresa. Compare su mensaje con el de su compañero.

    Datos de la empresa:
    Nombre: IMAGEN Y COMUNICACIÓN
    Horario laboral: lunes a vlernes: 09.00 – 14.00
                                15.30 - 18.30
                sábados: 09.00 – 14.00

2. Por parejas: preparen el mensaje que van a dejar a una empresa, así como el texto del contestador automático de la empresa receptora del mensaje.

    Datos de la empresa que envía el mensaje:
    Nombre: VIAJES LUNA
    Número de teléfono: 93 356 77 91
    Motivo de la llamada: quieren hablar urgentemente con Manuel Carbonell sobre la contratación de un vuelo charter a Edimburgo.

    Datos de la empresa que recibe el mensaje:
    Nombre: PANEUROPEA DE AVIACIÓN S.A.
    Horario laboral: lunes a viernes: 09.00 – 15.00
                               16.30 - 18.30
                sábados: 08.30 – 13.30

PRÁCTICA ORAL

1. Por parejas: dramaticen la grabación y el mensaje del ejercicio anterior.

2. Por parejas: intercambie su número de teléfono con su compañero. A continuación elija una de las dos listas de teléfonos para dictárselo.

A
94 634 97 00
(854) 53 67 76
91 7 65 42 35

B
900 56 78 89
93 678 78 87
95 7 65 40 32

3. Por parejas: deletree su nombre y apellidos a su compañero. A continuación practique con los siguientes datos:

A
Iparraguirre
I.V.A.
P.V.P.
HESPERIA S.A.
Puyol

B
Martorell
I.R.P.F.
P.Y.M.E.
IBERTEL
Ochotorena

UN POCO DE GRAMÁTICA

El futuro de indicativo

1. **USOS:**

Expresión de "tiempo futuro"

- Futuro de predicción:
Expresa acciones o situaciones que se supone ocurrirán en un futuro respecto del tiempo en que se habla.
Ej: *Volveré pronto. El tiempo será lluvioso mañana.*

- Futuro de compromiso:
Expresa acciones futuras en las que el hablante se compromete a llevar a cabo una acción.
Ej: *Te ayudaré con el informe. Te enviaré una postal desde El Cairo.*

- Futuro de obligación:
Expresa una obligación por parte de aquel o aquellos a los que se dirige el hablante.
Ej: *Tendrás que volver mañana. Lo haréis aunque no os guste.*

Expresión de "tiempo presente"

- Conjetura de presente:
Expresa una conjetura respecto al presente.
Ej: *Tendrá unos veinte años.*

- Futuro de cortesía:
Ej: *¿Podrá decirle que le he llamado?*

6

2. FORMAS:

a) Regulares:

La forma del futuro de indicativo es la misma en las tres conjugaciones.

1ª Conjugación -AR	2ª Conjugación -ER	3ª Conjugación -IR
cantar**é**	deber**é**	escribir**é**
cantar**ás**	deber**ás**	escribir**ás**
cantar**á**	deber**á**	escribir**á**
cantar**emos**	deber**emos**	escribir**emos**
cantar**éis**	deber**éis**	escribir**éis**
cantar**án**	deber**án**	escribir**án**

b) Irregulares:

En muchos casos, la forma del futuro de indicativo no sigue las formas regulares de conjugación:
Ej: *tener, poner, querer, haber, poder, hacer, saber, venir, salir, decir*

TENER	HABER	VENIR	DECIR
tendré	habré	vendré	diré
tendrás	habrás	vendrás	dirás
tendrá	habrá	vendrá	dirá
tendremos	habremos	vendremos	diremos
tendréis	habréis	vendréis	diréis
tendrán	habrán	vendrán	dirán

USO DE LA LENGUA

1. Ponga el verbo entre paréntesis en futuro de indicativo.

a) Nuestro representante le (llamar) a eso de las seis. ¿(Estar) usted en la oficina?
b) Yo te (avisar) cuando esté preparado.
c) María y yo (visitar) la oficina de Sevilla la semana que viene.
d) ¿Quién (asistir) a la reunión?
e) ¿Qué (decir) la gente?
f) ¿Qué (opinar) los sindicatos?
g) Os (telefonear) cuando aterricemos en el aeropuerto de Barajas.
h) (Tener) tiempo para desayunar si te das prisa.
i) Te (conceder) una entrevista si te interesa el puesto.
j) Ten la seguridad que (ganar) dinero si trabajas mucho.

2. Indique qué expresan los futuros que aparecen en las siguientes oraciones.

a) Esta tarde te enviaré el informe de gestión.
b) Creo que no volverán hasta el lunes próximo.
c) No te irás hasta que te lo diga.
d) *Sofepac* tendrá unas veinte sucursales.
e) Volveré tan pronto como pueda.
f) El partido del domingo será el mejor de la temporada.
g) Lo haré si no hay más remedio.
h) ¿Podrá tenerlo para mañana?

6.3 La cita

Números ordinales.

COMPRENSIÓN AUDITIVA

1. Escuche las conversaciones y complete las fichas.

	A	B	C
¿Quién llama?			
¿A quién llama?			
¿Para qué llama?			

2. Confirme o niegue las siguientes afirmaciones.

   a) Primera llamada:
   1. El teléfono está comunicando.
   2. Llama el señor Delony.
   3. La llamada es para cancelar una cita.
   4. La señora Delony tuvo que salir de viaje.

   b) Segunda llamada:
   1. La llamada es para confirmar una cita.
   2. La llamada es para concertar una entrevista.
   3. La cita es para el día once a las quince horas.
   4. La cita es para el día quince a las once.

   c) Tercera llamada:
   1. El señor Puerto se pone el teléfono.
   2. Una secretaria recibe el mensaje.
   3. La llamada es para cancelar la entrevista.
   4. La llamada es para posponer la entrevista.

PRÁCTICA ESCRITA

1. Indique las expresiones de cada columna que signifiquen lo mismo.

   A
   a. ¿Me pones con ...?
   b. Le llamo para cancelar ...
   c. Al habla.
   d. ¿Dígame?
   e. Está comunicando.

   B
   1. ¿Sí?
   2. La línea está ocupada.
   3. ¿Podría hablar con ...?
   4. Lamento tener que anular ...
   5. Al teléfono.

2. Escriba las horas siguientes con números de manera formal.

   a) Las ocho de la mañana.
   b) Las seis y media de la tarde.
   c) Las cuatro y cuarto de la mañana.
   d) Las doce del mediodía.
   e) Las tres menos veinte de la tarde.
   f) Las dos y diez de la tarde.
   g) Las once y veinticinco de la noche.
   h) Las nueve de la noche.
   i) Las diez menos cuarto de la noche.
   j) La una y cinco de la tarde.

3. Escriba estas fechas en palabras.

1.12.1999	10.4.1972	30.11.1988	28.10.2000	15.9.2001
5.7.1969	3.3.1990	12.1.2002	4.8.1627	14.12.1900

4. Ponga en el orden correcto la conversación telefónica.

    Telefonista: El señor Termes está en una reunión.
        Cliente: Soy Gonzalo Valle. Tengo ya los datos que me pidió.
    Telefonista: Por supuesto. Dígame.
        Cliente: Sí, lo tiene. Muchas gracias.
    Telefonista: EUROERVI, buenos días.
        Cliente: ¿Le puedo dejar un mensaje?
    Telefonista: ¿Tiene él su número de teléfono?
        Cliente: Buenos días. ¿Me pone con el señor Termes?

PRÁCTICA ORAL

1. Por parejas: reproduzcan la conversación del ejercicio anterior.

2. Lea en voz alta los siguientes números:

    1999, 39010, 15761, 1028, 22025, 92542, 50485, 11300, 63438, 81224

UN POCO DE GRAMÁTICA

Números ordinales

1º	primero		11º	undécimo
2º	segundo		12º	decimosegundo
3º	tercero		13º	decimotercero
4º	cuarto		14º	decimocuarto
5º	quinto		15º	decimoquinto
6º	sexto		20º	vigésimo
7º	séptimo		30º	trigésimo
8º	octavo		40º	cuadragésimo
9º	noveno		50º	quincuagésimo
10º	décimo		100º	centésimo
	1.000º	milésimo		

USO DE LA LENGUA

1. Convierta los números cardinales siguientes a números ordinales y escríbalos en palabras.

3	21 ....
5	24 ....
9	30 ....
12	37 ....
16	46 ....

7.1   Nuestros productos

Comparativos y superlativos.

COMPRENSIÓN AUDITIVA

1. Escuche la presentación del catálogo y numere las máquinas de oficina en el orden que las describen.

   a) Destructora de documentos.
   b) Retroproyector.
   c) Rotuladora.
   d) Encuadernadora.
   e) Pesacartas.

2. Escuche otra vez y complete las frases siguientes:

   a) La rotuladora imprime etiquetas de diferentes .... y ....
   b) El pesacartas funciona con .... pilas de............ voltios.
   c) El retroproyector pesa ....
   d) El retroproyector mide .... por .... por ....
   e) La encuadernadora es de .... y .... rígido.

PRÁCTICA ESCRITA

1. Escriba los términos debajo del producto correspondiente:

rotuladora	calculadora	fax	pesacartas	retroproyector
ordenador	encuadernadora		destructora de documentos	

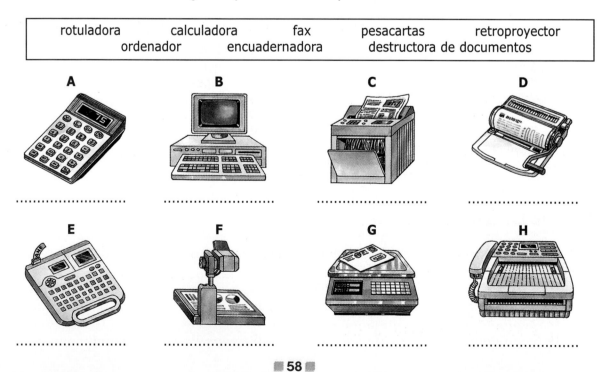

A

B

C

D

....

E

F

G

H

....

2. Relacione los adjetivos de la columna A con los antónimos de la columna B.

A	B
a) nuevo	1) incómodo
b) fácil	2) caro
c) cómodo	3) grande
d) ligero	4) viejo/antiguo
e) económico	5) pesado
f) pequeño	6) difícil

3. Complete la descripción del producto con el vocabulario del recuadro:

página	kg.	nuevo	dinero	original	rápido	máquina	cómodo

Nuestro fax es una .... para ahorrar tiempo y .... El .... fax laser L 2000 es el único que garantiza la máxima fidelidad entre .... y copia. Y el más .... Tres segundos de transmisión por .... Además, solamente pesa 1,4 .... ¿Puede imaginar algo más ....?

4. Escriba las abreviaturas de los siguientes términos:

a) kilo ....   d) gramo ....
b) metro ....   e) centímetro ....
c) milímetro ....   f) voltio ....

PRÁCTICA ORAL

1. Por parejas: preparen preguntas y respuestas sobre el fax descrito en el ejercicio 3 de práctica escrita.

– tipo de fax
– modelo
– características
– ventajas

2. Preparen individualmente la presentación de uno de los siguientes productos (características, datos técnicos, tamaño, dimensiones, forma, colores, precio, etc.)

a) Teléfono móvil
   - Tamaño: 105 x 49 x 24 mm.
   - Peso: 78 g. sin batería, 146 g. con batería.
   - Voltaje batería: 4 v.
   - Pantalla: tres líneas , incluyendo una de iconos.
   - Resolución de 33 x 101 puntos.
   - Teclado: 17 teclas + 2 teclas laterales.
   - Colores: rojo, azul, gris.
   - Clase: GSM.
   - Precio: 26.800 ptas (161,07 €).

b) Lavadora
- Modelo: L 2025.
- Capacidad: 5 kg.
- Programas: 13.
- Selector de temperatura.
- Consumo de energía: 1 Kw./h.
- Medidas: 85 x 59 x 55 cm.
- Colores: blanco, azul, beige.
- Precio: 59.900 pesetas (360 €).

UN POCO DE GRAMÁTICA

El adjetivo calificativo y sus grados

Grado positivo

La cualidad a la que se refiere el adjetivo no presenta modificaciones: Juan es alto; *Compré un coche pequeño; Luis es un buen alumno.*

Grado comparativo

La cualidad se compara con la de otra persona, animal o cosa.

De igualdad:
Juan es tan alto como Pedro.
Luis es tan buen alumno como Óscar.
Mi coche es tan bonito como el tuyo.

De superioridad:
Juan es más alto que Pedro.
Luis es mejor alumno que Óscar.
Mi coche es más bonito que el tuyo.

De inferioridad:
Pedro es menos alto que Juan. / Pedro no es tan alto como Juan.
Óscar es peor alumno que Luis.
Tu coche es menos bonito que el mío. / Tu coche no es tan bonito como el mío.

Grado superlativo

Absoluto:
La cualidad se presenta con la máxima intensidad. *Juan es altísimo; Luis es un alumno buenísimo; Mi coche es muy pequeño; Mi casa es pequeñísima.*

Relativo:
La cualidad se presenta como la mayor o menor en relación con otros. *Juan es el más alto de la clase; Óscar es el menos estudioso de mis alumnos.*

USO DE LA LENGUA

1. Utilice el adjetivo en sus grados comparativo y superlativo en relación con las personas, animales y objetos que aparecen en los dibujos:

¿Quién es el/la más viejo/a?
¿Quién es el/la más joven?
¿Quién es el/la más alto/a?

7.2 Un producto de calidad

COMPRENSIÓN AUDITIVA

1. Escuche los mensajes publicitarios y relaciónelos con el producto correspondiente:

Mensaje nº 1	- Automóviles
Mensaje nº 2	- Dentífrico
Mensaje nº 3	- Hipoteca interés variable
Mensaje nº 4	- Servicios de tecnología de la información para empresas
Mensaje nº 5	- Telefonía móvil
Mensaje nº 6	- Perfume

7

2. Exprese su acuerdo o desacuerdo con las afirmaciones que va a escuchar:

Creo que / Me parece que

| | Sí | No |

a) ....
b) ....
c) ....
d) ....
e) ....

PRÁCTICA ESCRITA

1. Indique qué expresan las siguientes frases:

	OPINIÓN	ACUERDO	DESACUERDO
a) Creo que debes rehacer el informe.			
b) Nuestros clientes opinan que el producto es muy bueno.			
c) A mi juicio éste es un problema complicado.			
d) Estamos plenamente de acuerdo.			
e) No comparto tu opinión.			
f) A mí también me lo parece.			
g) A mí me parece que no tienes razón.			
h) ¿Tú qué opinas?			
i) No estoy de acuerdo con tus planteamientos.			
j) No puedo darte mi opinión.			

2. Lea el anuncio siguiente y exprese su opinión sobre el anuncio y sobre el producto.

Cada día más cerca de ti, para ofrecerte el mejor servicio.

TIEMPO LIBRE s/a · **MUNDI COLOR IBERIA** · **CLUB TIEMPO LIBRE** · **HOTEL COLOR** VIAJA A TU AIRE, ALÓJATE CON NOSOTROS

TOUR OPERADOR INTERNACIONAL Nº1 DE ESPAÑA

Porque ponemos todo el mundo al alcance de tu mano.
Porque tenemos la mayor y mejor oferta del mercado.
Cuando quieras viajar, y antes de decidir,
ve a tu Agencia de Viajes, llámanos o visítanos en Internet.

PRÁCTICA ORAL

1   En grupos: comparen y discutan sus opiniones sobre el anuncio y el producto del ejercicio anterior.

2. Por parejas: elijan uno o varios de los productos o de los servicios de la lista y preparen los mensajes publicitarios para anunciarlos.

1. Un producto gastronómico típico de su país.
2. Un espectáculo cinematográfico o teatral.
3. Una empresa de servicios turísticos.
4. Un coche de lujo.
5. Una crema de belleza.
6. Una compañía aérea.

7.3   Somos competitivos

COMPRENSIÓN AUDITIVA

1. Escuche dos veces la grabación y rellene los huecos del texto.

¡Mejore la .... de su empresa con obsequios navideños de exclusivo ....!
Nuestra empresa lidera el .... de regalos en la Unión Europea; un mercado que .... el año pasado un negocio de .... millones de pesetas.
Sólo una empresa líder como la nuestra le puede .... los mejores productos a los precios más ....
Tenemos regalos para todos los .... y ....
En nuestro catálogo usted puede elegir entre diferentes .... de productos cuyos precios .... entre las cinco mil y las cincuenta mil pesetas. Puede elegir su regalo .... de coste superior para altos directivos y clientes importantes: relojes y plumas .... de marca, agendas y .... de piel o .... exclusivos.
Por un precio en torno a las quince mil pesetas puede .... cajas de vinos y .... selectos.
Pero si desea hacer un regalo original adquiera una de las .... de artesanía popular que le ofrecemos a precios muy razonables.
¡Visite nuestra exposición!

2. Escuche la grabación de nuevo y subraye el término correcto.

	A	B	C
a) Los obsequios son de diseño:	navideño	exclusivo	personalizado
b) La empresa ofrece mejores:	precios	productos	regalos
c) Los precios de los regalos oscilan entre las 5.000 y las :	15.000 ptas.	25.000 ptas.	50.000 ptas.
d) los regalos de coste superior son los:	vinos	libros	complementos
e) Las reproducciones artesanales son un regalo:	personal	original	exclusivo

PRÁCTICA ESCRITA

1. Lea el texto anterior y responda a las siguientes preguntas.

   a) ¿Cómo puede mejorar la imagen de una empresa?
   b) ¿Quién puede ofrecer precios más competitivos?
   c) Anote los distintos regalos que se mencionan.
   d) ¿Cuál es el precio de los regalos?
   e) ¿Cuáles son los regalos más caros y cuáles son los más originales?

PRÁCTICA ORAL

Transtel

Escuche la tele en estéreo gracias al primer transmisor de sonido estéreo sin cable, del televisor a los altavoces de su cadena HI-FI. Obtendrá un efecto "home cinema" con gran dimensión sonora. Sin necesidad de modificar su instalación. Conecte el emisor a la salida de auriculares RCA de su televisor/vídeo, y el receptor en la salida auxiliar de su cadena HI-FI, en un radio de 20 m. Tres posibilidades de ajuste del volumen: en el televisor, en el receptor o en la cadena HI-FI. Se suministra con 2 adaptadores a corriente eléctrica, una toma peritel, dos cables RCA y un jack 6,3 mm.

Ref. 72801 ... 14.900 Ptas.

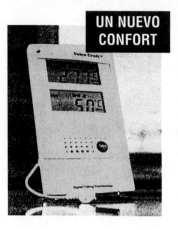

Termómetro parlante

"Buenos días, la temperatura interior es de 20ºC, la temperatura exterior es de 5ºC..." este termómetro parlante, te hará descubrir un nuevo confort. No se contenta sólo en mostrar simultáneamente en su pantalla LCD las temperaturas interior y exterior, sino que también se las anunciará con una alta e inteligible voz (excepto por la noche, para respetar su sueño). Escala de medición: -50ºC a +59ºC, con una precisión de 0,1ºC. Memorización de las temperaturas máxima y mínima, tanto en el interior como en el exterior. Alarma para prevenirle de una temperatura de alerta /amenaza de hielo o fuerte calor), función reloj. Volumen regulable. Funciona con pilas (no incluidas). Dimensiones 116 x 94 x 22 cm. Garantía total 2 años.
Ref. 77373 ... 4.900 Ptas.

Sacacorchos

Si es amante del buen vino, no le gustará agitar la botella en el momento de abrirla, ni ver caer fragmentos del tapón en el interior de la botella. Este sacacorchos evita estos desagradables inconvenientes. Sólo es necesario atravesar el tapón con la aguja y presionar el pistón: bajo el efecto del aire comprimido, el tapón sale solo.
Ref. 73580 ... 2.900 Ptas.

1. Elija uno de los regalos que aparecen en la fotografía. Después de leer la información sobre sus características, descríbalo al resto de sus compañeros.

   – Tipo de producto.
   – Utilidad.
   – Características.
   – Tamaño.
   – Precio.

2. En grupos: comparen los productos para decidir cuál es el regalo o los regalos que su empresa debe comprar, teniendo en cuenta las siguientes categorías.

- Altos directivos, accionistas y clientes importantes.
- Clientes en general y proveedores.
- Cuadros medios.
- Empleados en general.

3. Relacione las definiciones de la columna A con los términos de la columna B.

A	B
a) Imagen de empresa.	1. Vino espumoso del tipo del champaña fabricado en España.
b) Obsequio.	2 Cálculo anticipado del coste de una obra o de un servicio.
c) Líder.	3. Representación mental.
d) Presupuesto.	4. Regalo, presente.
e) Competitivo.	5. Persona, empresa o producto que ocupa el primer lugar en un campo determinado.
f) Cava.	6. Capaz de competir. Producto cuyo precio puede competir con otros similares.

USO DE LA LENGUA

1. Complete los huecos con la preposición adecuada.

a) No quieren acceder .... nuestra petición.
b) ¿.......... qué depende su decisión?
c) No confío en la calidad .... ese producto.
d) Estoy muy satisfecho .... la subida .... la bolsa.
e) ¿Qué opinas .... la subida .... los tipos de interés?
f) No estoy .... acuerdo con el aumento .... tarifas aéreas.
g) Tenemos que llegar a un acuerdo .... los nuevos precios.
h) El incremento .... IPC fue superior .... lo previsto.
i) El Director General se niega .... subirnos el sueldo.
j) Estoy pensando .... comprar un apartamento .... Sitges.

8.1 Una vida de trabajo

Referencias de pasado: Nexos adverbiales de tiempo.

COMPRENSIÓN AUDITIVA

1. Escuche la descripción de una carrera profesional y señale los trabajos que se mencionan.

periodista	secretaria	profesora	dependienta	adjunta a la dirección
directora de marketing		guía de turismo	auxiliar administrativo	intérprete

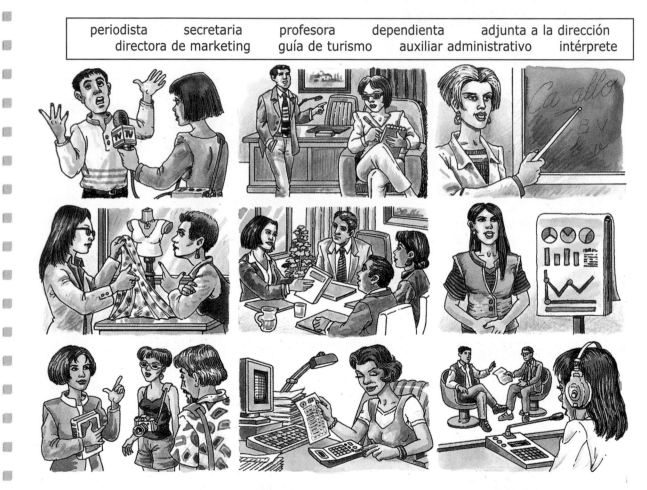

2. Escuche e indique el orden cronológico de la trayectoria profesional descrita.

    a) Estudios en las universidades de Viena y de Arizona.
    b) Dependienta en una tienda de regalos.
    c) Directora de Marketing.
    d) Adjunta a la dirección comercial.
    e) Secretaria.
    f) Trabajo en un banco.
    g) Guía de turismo.
    h) Estudios de Ciencias Empresariales.

3. Escuche de nuevo y complete el currículo vitae de la señora Bernal.

Apellidos: Bernal Ferrer.
Nombre: Clara.
Lugar y Fecha de Nacimiento: Madrid; 5 de agosto de 1963.
Nacionalidad: Española.

I. FORMACIÓN ACADÉMICA:
.... : Licenciatura en Ciencias Económicas.
Universidad Complutense, Madrid.
1985-86: Diploma en Comercio ....
1989-90: .... en Marketing y Comunicación.
Instituto de Empresa, Madrid.

II. EXPERIENCIA PROFESIONAL:
Actualmente: Directora de ....
1987: Adjunta a la Dirección .... NORDIA.
1985-86: Departamento de .... y .... Banco ALTER.
1982-84: Auxiliar Administrativo.
          Departamento de .... UNICRIS.
1982 (verano): Guía de turismo. VIAJES BLATUR.
1980: .... MULTI Regalos.

III. IDIOMAS:
Inglés: nivel superior.
Alemán: nivel superior.
Francés: nivel intermedio.
Sueco: nivel intermedio.

PRÁCTICA ESCRITA

1. Relacione los datos con el apartado correspondiente del currículo vitae.

A	B
a) 1 de mayo de 1969	1. Nacionalidad
b) Pablo	2. Experiencia profesional
c) Buenos Aires	3. Formación Académica
d) Derecho	4. Especialización
e) Torres González	5. Fecha y lugar de nacimiento
f) Prácticas en Canals y Juliá	6. Apellidos
g) Bufete de abogados	7. Idiomas
h) Argentina	8. Nombre
i) Máster en Derecho Comunitario	
j) Francés e Inglés	
k) Banco Plata Director Departamento Jurídico	

2. Escriba una breve descripción del trabajo y obligaciones de los siguientes profesionales.

Secretario/a: ....
Director o Directora Comercial: ....
Director o Directora de Marketing: ....
Contable: ....
Guía de turismo: ....
Asesor o Asesora jurídico/a: ....

3. Complete las siguientes frases aportando los datos que se le piden sobre usted mismo:

Nací en .... (lugar), el .... de .... de .... (fecha).
Estudié en .... (colegio y lugar).
Después empecé .... (Estudios académicos o profesionales)).
Obtuve el título de ...., en .... (año).
Después ....
A continuación ....
Mi primer empleo fue .... (puesto de trabajo), en .... (empresa y lugar).
Desde .... hasta .... estuve trabajando en .... (segundo empleo).
Actualmente, trabajo en .... (empresa), como .... (puesto de trabajo).

PRÁCTICA ORAL

1. En grupos: comparen las descripciones de los trabajos propuestos en el ejercicio 2 de la práctica escrita.

2. Por parejas: formule preguntas a su compañero sobre los datos de su currículo vitae.

Datos personales:

Apellidos :... Nombre: ....
Fecha y lugar de nacimiento: ....
Domicilio: ....
Teléfono: .... Fax: .... Correo electrónico: ....

Formación académica: ....

Experiencia profesional: ....

Idiomas: ....

Otros conocimientos: ....

Aficiones e intereses: ....

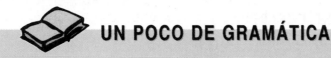

UN POCO DE GRAMÁTICA

Nexos adverbiales temporales

Diferentes adverbios y locuciones adverbiales que expresan una circunstancia temporal sirven para introducir oraciones subordinadas adverbiales temporales que sirven para situar en el tiempo el momento en que se produjo la acción temporal. Esta acción subordinada puede tener lugar:

Antes de la acción principal:
Nexos como: **cuando, antes de que, con anterioridad a que**, etc. se utilizan en este caso.
Ej: *Cuando llegó, se marcharon todos/ Antes de que llegara, sabíamos que traería regalos para todos/ Con anterioridad a que se cometiera el crimen, se le había visto deambular por esa calle.*

Durante o a la vez que la acción principal:
Con nexos como: **cuando, mientras, mientras que, a medida que, conforme, según**, etc.
Ej: *Cuando comienza a hablar todo el mundo sale corriendo/ A medida que pasa el tiempo comprendo mejor a mi padre/ Conforme le escucho, percibo su sensibilidad/ Según vengas, compra el periódico/ No hables mientras comes.*

Después de la acción principal:
Cuando, antes de que, hasta que, son los nexos más frecuentes en este caso.
Ej: *Me marché, cuando terminé la entrevista/ Antes de que empezara a hablar, supe lo que iba a decir/ Pasará un siglo hasta que lo entienda.*

USO DE LA LENGUA

1. Rellene los huecos de las frases utilizando los nexos adverbiales temporales que aparecen en el recuadro (en algunos casos es posible utilizar más de uno).

cuando	antes de que	mientras	mientras tanto	conforme
siempre que	según	a medida que	hasta que	tan pronto como

a) ………………. avanzaba la reunión, resultaba más claro que era posible un acuerdo.
b) Supe que nos entenderíamos ………………. le vi hablar.
c) No saldrás ………………. hayas acabado tus deberes.
d) Me marché ………………. apareciera por la puerta.
e) Todos se levantaron ………………. acabó su discurso.
f) Acaba el informe, ………………. yo iré cerrando la caja fuerte.
g) ………………. yo estudiaba, mi hermano veía la televisión.
h) ………………. le conozco confío más en su capacidad.
i) Le mandé un telegrama ………………. supe lo ocurrido.
j) ………………. llega tarde da una excusa absurda.

8.2 Una casa a estrenar
Preposiciones con referencia temporal.

COMPRENSIÓN AUDITIVA

1. Escuche la información sobre las viviendas y complete los datos de cada una.

	Residencial Hispania	Residencial Atlántida
Precio		
Superficie		
Entrega de llaves		
Número de habitaciones		
Nº de baños		
Salón comedor		
Cocina		
Terraza		
Lavadero		
Garaje		
Trastero		
Jardín		
Piscina		

2. Escuche las condiciones de pago y corrija los errores.

Residencial Hispania:
Firma del contrato: 2.400.000 ptas. (14.425,643 €)
14 letras de 174.268 ptas. (1.047,47 €)

Entrega de llaves: 1.222.000 ptas. (7.345,05 €)
18 millones (108.192,32€)

Residencial Atlántida:
Reserva: 5%
Firma del contrato: 10%
Aplazado: 5%, 1.6000.000 ptas (9.606,19€) en efectivo y el resto mediante hipoteca.

PRÁCTICA ESCRITA

1. Con ayuda de un diccionario, anote el significado de los siguientes términos:

    – condiciones de pago
    – constructora
    – entrega de llaves
    – firma del contrato
    – hipoteca
    – letra de cambio
    – préstamo hipotecario
    – promoción
    – reserva
    – tramitar

2. Con ayuda de un diccionario, explique las diferencias entre los siguientes términos:

    – urbanización / residencial
    – piso / chalet (individual, adosado, pareado)
    – cuarto de baño / aseo
    – garaje / aparcamiento
    – trastero / buhardilla

3. Redacte una nota informativa con los datos de la vivienda del dibujo.

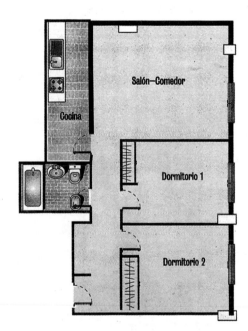

25,8 millones

Superficie:
83,12 m2

Tipo:
Vivienda de 2 dormitorios, un cuarto de baño, salón-comedor y cocina.

Otros:
Trastero (incluido en el precio total de la vivienda), garaje opcional y patio general solado y ajardinado.

Entrega de llaves:
Febrero del 2001.

Condiciones de pago:
El 20% del valor total de la vivienda distribuido entre un 60% como entrada y un 40% financiado en 15 meses sin intereses. El 80% restante mediante subrogación de hipoteca con la Caixa a 30 años.

4. Indique el orden correcto del diálogo entre usted y un agente de la propiedad inmobiliaria.

    a) Amueblado mejor.
    b) ¿Alquiler o compra?
    c) ¿Lo quiere amueblado o sin amueblar?
    d) Buenos días. ¿Qué desea?
    e) ¿Y el precio?
    f) Quisiera información sobre pisos.
    g) Para alquilar... Un apartamento o un piso pequeño.
    h) ¿Podría verlos?
    i) ¿De un dormitorio?
    j) Por supuesto. Le acompañaremos a verlos.
    k) Tenemos varios... En la calle de Caracas hay uno precioso. En la calle de México tenemos varios a estrenar...
    l) El de la calle de Caracas son 100.000 al mes y el de la calle México son 85.000.

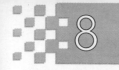

PRÁCTICA ORAL

1. Por parejas: solicite información a su compañero sobre la vivienda que desea adquirir.

   - El precio y las condiciones de pago.
   - Superficie construida y habitable del piso.
   - Equipamientos: zonas verdes, comunicaciones, centros escolares y comerciales, centros de salud, instalaciones deportivas y zonas de ocio e infantiles.

2. En grupos: preparen un debate sobre las ventajas e inconvenientes de vivir en pisos o en viviendas unifamiliares.

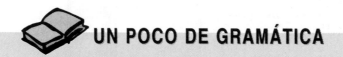 **UN POCO DE GRAMÁTICA**

Preposiciones con referencia temporal

Expresión de tiempo exacto

En: *Llegó en enero. / Volverá en verano. / Vino a vivir aquí en 1987.*

A: Pasado: *Llegó a las tres de la tarde.*
Presente: *Estamos a 3 de abril.*
Futuro: *Llegaré a las 6.*

Expresión de tiempo aproximado

A: *Llegó a eso de las tres. / Volverá a mediados de mes.*

Sobre: *Llegaré sobre las 8. / Vino sobre las 10.*

Hacia: *Llamó hacia las 7.*

Alrededor de: *Llamó alrededor de las 6. / Volveré alrededor de las 10.*

Para: *Estaré aquí para las ocho.*

Por: *Volvió por Navidad. / No pienso hablar con él por ahora.*

Entre: *Volveré entre las 6 y las 8. / Te espero entre las 2 y las 4.*

USO DE LA LENGUA

1. Complete los espacios en blanco con la preposición adecuada.

   a) .... los meses .... julio y agosto cerramos .... las nueve .... vez .... las ocho.
   b) .... estas fechas, las tiendas no abren .... la tarde.
   c) Recibirás el pedido .... finales de marzo.
   d) Llegaremos .... eso .... las cuatro .... la tarde
   e) Se reunirán mañana .... la noche.
   f) Hemos hablado .... varias horas
   g) Creo que llegarán .... las 6 o las 7 .... la mañana.
   h) No hablé con él .... hace un rato.
   i) Estaré de vuelta .... cuatro .... cuatro y media.
   j) Trabajo .... las 9 .... la mañana .... las 5 .... la tarde.

2. Transforme estas oraciones empezando por "hace .....que".

   Ej: *Llevo dos años estudiando español.*
   Hace dos años que estudio español.

   a) Llevamos cuatro años viviendo en esta casa.
   b) Llevo más de dos semanas esperando el resultado de la entrevista.
   c) Llevo mucho tiempo jubilado.
   d) ¿Lleváis mucho tiempo esperando?
   e) Llevan bastante tiempo sin escribirnos.
   f) ¿Cuánto tiempo llevas conduciendo?
   g) Llevo un año sin hacer ningún viaje.
   h) Lleva más de dos años sin pedirme un solo informe.

8.3 Una pequeña empresa

Coordinación y subordinación; conectores: y/pero/ya que/ porque.

COMPRENSIÓN AUDITIVA

1. Escuche la historia y los planes de la empresa y complete la ficha.

   – Nombre del grupo empresarial.
   – Actividad de la empresa.
   – Origen y ámbito geográfico.
   – Claves de su crecimiento.
   – Cifras de beneficios y ventas.
   – Países de implantación.

2. Escuche los planes de la empresa y anote:

   – Sus objetivos.
   – Sus planes de futuro.

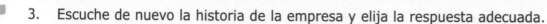

8

3. Escuche de nuevo la historia de la empresa y elija la respuesta adecuada.

   a) la aventura de la empresa Blanco S.A. comenzó.
      1. en España.
      2. hace 50 años en Europa.
      3. hace 50 años en Logroño.

   b) Los propietarios actuales de la empresa son:
      1. un grupo europeo.
      2. la familia Blanco.
      3. una corporación multinacional.

   c) El éxito de la empresa se debe a:
      1. su liderazgo.
      2. diversas causas.
      3. ser propiedad de una familia.

   d) Los beneficios del año pasado fueron:
      1. treinta mil millones.
      2. mil ochocientos millones.
      3. ochocientos mil millones.

   e) La empresa se propone:
      1. instalarse en el continente americano.
      2. utilizar nuevas tecnologías.
      3. incrementar la innovación.

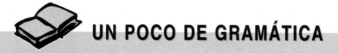

UN POCO DE GRAMÁTICA

Oraciones copulativas:	**y, ni** Ej: *Se encontraron y se saludaron. / Ni come ni duerme.*
Oraciones disyuntivas:	**o, o bien** Ej: *Vienes o te quedas. / Lo dejas o bien te lo llevas.*
Oraciones adversativas:	**pero, mas, aunque, sin embargo, no obstante** Ej: *Lo sabía pero (mas) no lo dijo. / Vino aunque no lo habíamos llamado. / Parecía que iba a dimitir, sin embargo no lo hizo. / Estaba con gripe, no obstante acudió a la cita.*
Oraciones distributivas:	**tan pronto ... como, bien ... bien** Ej: *Tan pronto ríe como llora. / Bien está triste, bien alegre.*
Oraciones explicativas:	**esto es, es decir** Ej: *Hizo un buen negocio en la Bolsa, es decir ganó mucho dinero.*

PRÁCTICA ESCRITA

1. Con ayuda de un diccionario, escriba la definición de los siguientes términos.

   a) Demanda: d) Inversión:
   b) Liderazgo: e) Gastos fijos:
   c) Rentabilidad: f) Control de calidad:

2. Complete el cuadro siguiente:

Nombre	Verbo	Adjetivo
comestibles		
		conservera
beneficios		
	incrementar	
	duplicar	
rentabilidad		
inversión		
		innovador
liderazgo		
	enlatar	

3. Después de leer los métodos de financiación de la empresa redacte un estudio comparando estas opciones con las que existen en su país.

   - Entidades de crédito: No es fácil obtener un préstamo o un crédito de un banco. Cuando se trata de un empresario autónomo o de una pequeña empresa, lo habitual es que el préstamo tenga carácter personal, con los mismos trámites y requisitos de concesión.

   - Leasing: contrato suscrito entre una entidad financiera y un particular o una empresa que necesita financiación. El contrato incluye una opción de compra a favor del usuario cuando termine el arrendamiento.

   - Ayudas al autoempleo: el Ministerio de Trabajo y seguridad Social concede ayudas dentro del marco de programas de promoción de autoempleo (subvención financiera, renta de subsistencia y asistencia técnica).

   - Búsqueda de socios: consiste en la constitución de una sociedad (anónima, limitada, laboral, cooperativa, etc.).

PRÁCTICA ORAL

1. Por parejas: comparen y comenten su estudio sobre los métodos de financiación de las empresas.

2. Debate en grupos: expresen su opinión acerca de las causas de fracaso de una empresa.
   - Inestabilidad natural de los mercados.
   - Falta de planificación y formación del empresario.
   - Desconocimiento del mercado.
   - Problemas financieros.
   - Selección inadecuada del personal.
   - Mala suerte.

9.1 Quién decide puede equivocarse

Referencias de futuro: uso del futuro de indicativo o "ir a + infinitivo".

COMPRENSIÓN AUDITIVA

1. Escuche la información sobre los planes de la empresa y conteste las preguntas.

   a) ¿Cuándo va a ser el traslado?
   b) ¿Dónde va a trasladarse la empresa?
   c) ¿A qué distancia está de Madrid?
   d) ¿Cómo se puede ir?
   e) ¿Cuántas plantas tiene el edificio?

2. Escuche de nuevo y complete la información.

   El nuevo edificio tiene .... plantas de oficinas y una de ...., con capacidad para ....
   coches. Las oficinas contarán con los sistemas más modernos de .... y de seguridad y
   dispondrán de una completa .... de servicios para optimizar las actividades de la empresa y
   .... las necesidades del ....

3. Tome notas sobre la planificación del traslado de las oficinas.

   a) Dentro de tres meses ....
   b) El cambio de planes afectará solamente a ....
   c) El comité se encargará de ....
   d) La dirección de la empresa se disculpa por ....

PRÁCTICA ESCRITA

1. Conteste por escrito a las siguientes quejas de los empleados según el ejemplo:

   Ej: *La oficina está demasiado lejos.*
       – La empresa pondrá un servicio de autobuses.
       – Los empleados van a disponer de un servicio de autobuses de la empresa.

   a) El ascensor hace demasiado ruido.
      ....
   b) Mi despacho es más pequeño que el que tenía antes.
      ....
   c) No hay luz natural.
      ....
   d) El horario de la cafetería es muy reducido.
      ....
   e) La nueva moqueta me da alergia.
      ....
   f) Mi ordenador no funciona.
      ....

2. Después de leer el anuncio, conteste a las preguntas.

SE VENDE EN MADRID EDIFICIO PARA OFICINAS

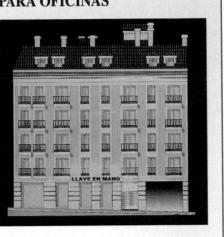

- Completo o por plantas.
- Zona estratégica de expansión comercial.
- Excelentes comunicaciones (metro y autobuses).
- Espacios luminosos y flexibles.
- Tres plantas con superficie de 1.200 m^2
- Treinta plazas de garaje por planta.
- Aire acondicionado.

INFORMACIÓN
Lunes a viernes de 08.30 a 17.00
Teléfono 900 543 404

a) ¿En qué zona está el edificio?
b) ¿Se puede ir en tren?
c) ¿Cuáles son las características del edificio?
d) ¿Cuántas plazas de aparcamiento hay en total?
e) ¿Qué hay que hacer para informarse?

3. Su empresa ha decidido comprar el edificio del anuncio del ejercicio anterior. Redacte una breve nota para comunicar a los empleados esta decisión y la planificación del traslado.

PRÁCTICA ORAL

1. En grupos: comenten con sus compañeros la decisión de la empresa de trasladar sus instalaciones y cómo afectará a los empleados (horarios, distancia, medios de transporte, organización de la vida familiar, relaciones de proveedores y clientes, etc.).

2. Antes de tomar una decisión, su empresa desea información detallada sobre el edificio de oficinas del anuncio del ejercicio 2 de la práctica escrita. Por parejas: preparen la conversación telefónica para solicitar los siguientes datos.

- Situación exacta (población, zona).
- Antigüedad del edificio.
- Medios de comunicación.
- Dimensiones.
- Precio por metro cuadrado.
- Facilidades de pago y financiación.

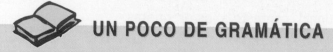

UN POCO DE GRAMÁTICA

Futuro de indicativo o "ir a + infinitivo"

Cuando la perífrasis "ir a + infinitivo" expresa intencionalidad con respecto a un hecho futuro, su utilización, sobre todo en lenguaje informal, es mucho más frecuente que la del futuro de indicativo . Ello es debido a que la incertidumbre que cualquier acción o situación futura supone, hace preferible su utilización a la del futuro de indicativo cuya utilización da a entender siempre una mayor seguridad en lo que sucederá en dicho futuro.
Ej: *Voy a estudiar el asunto y te contestaré lo antes posible.*

En este ejemplo el hablante expresa su intención de estudiar el asunto en un futuro inmediato mediante la utilización de "ir a + infinitivo": *Voy a estudiar el asunto.* Mientras que expresa su determinación de dar una contestación rápida mediante el uso del futuro de indicativo en la oración coordinada: *te contestaré lo antes posible.*

• Para mayor información sobre la expresión de tiempo futuro, consultar la sección de gramática de la Unidad 6.

USO DE LA LENGUA

1. Transforme estas oraciones utilizando la perífrasis verbal "ir + infinitivo".

   a) Presentaré una reclamación mañana por la mañana.
   b) Nos quejaremos al director.
   c) Mi opinión es que lucirá el sol todo el día.
   d) Creo que llegarán esta tarde.
   e) Pediremos disculpas por el error.
   f) Me parece que este negocio será todo un éxito.
   g) ¿Crees que estarán de acuerdo?
   h) ¿Estás seguro de que aprobarás el examen de español?
   i) ¿Asistirán ustedes al Congreso?
   j) ¿Crees que el Sr. Gutiérrez saldará su deuda.

2. Transforme estas oraciones utilizando el futuro de indicativo.

   a) ¿Vais a asistir a la junta de accionistas?
   b) ¿Quién va a presidir la reunión?
   c) Voy a quejarme al jefe de servicio.
   d) ¿Vas a matricularte en la clase de español?
   e) Vamos a pedir que nos devuelvan la cantidad entregada a cuenta.
   f) La Sra.Martín se quedará hoy hasta las 8.
   g) Supongo que no va a llover hoy.
   h) ¿Crees que va a prestarme el dinero que le pedí?
   i) Me imagino que los tipos de interés no van a subir.
   j) En el año 2002 vamos a utilizar Euros en lugar de Pesetas.

9.2 Tenemos que pedir disculpas

Ofrecimientos con el verbo "poder".

COMPRENSIÓN AUDITIVA

1. Escuche los mensajes y conteste verdadero o falso

	V	F
a) El Director de RRHH va a atender la petición.		
b) La empresa va a servir el pedido de 20 ordenadores.		
c) BENESA atenderá a sus clientes a partir de la próxima semana.		
d) La empresa de Lisboa solicita el catálogo en CD-ROM.		
e) La empresa hace una reclamación por el retraso del pedido.		

2. Escuche los mensajes y complete los detalles.
    a) .... tener que informarle que no podemos atender su .... de .... personal.
    b) Acusamos recibo de su .... de 20 ordenadores COM, modelo .... En este momento, solamente podemos servirle .... unidades. Rogamos acepten nuestras ....
    c) Debido al .... de nuestras oficinas, no podremos atenderles hasta la .... próxima.
    d) Les llamo de PENTA, en Lisboa. No tenemos su .... de primavera. No se .... Podemos enviarlo .... mismo.
    e) Aceptamos sus disculpas por el .... en la entrega de nuestro pedido. Sin embargo, no hemos recibido contestación a nuestra .... por el material .... que nos enviaron el mes pasado.

PRÁCTICA ESCRITA

1. Complete el cuadro.

Nombre	Verbo	Adjetivo	Adverbio
petición			
	servir		
	lamentar		
disculpa			
		próxima	
retraso			
			urgentemente
reclamación			
	enviar		
		defectuoso	

2. Relacione las reclamaciones con las correspondientes disculpas.

A	B
a) No hemos recibido su cheque.	1) Lo siento. Llamaremos al servicio de mantenimiento.
b) Hay un error en su factura.	2) Sentimos la demora en la entrega de su pedido a causa de la huelga de transporte.
c) Su pedido llegó con retraso.	3) Rogamos disculpen nuestro retraso en el pago. Le adjuntamos el cheque.
d) Le comunicamos que su representante no se presentó ayer.	4) Probablemente se trata de un error informático. Les pedimos disculpas.
e) El ascensor principal no funciona.	5) Olvidamos comunicarle que tuvo un accidente.

3. Redacte la contestación pidiendo disculpas y ofreciendo soluciones.

Lamentamos tener que comunicarles que el equipamiento deportivo que habíamos solicitado, según nuestro pedido referencia B/1646, de fecha 20 de diciembre, ha llegado en malas condiciones debido a un embalaje defectuoso. Esperamos una rápida solución.

....
....
....
....
....

PRÁCTICA ORAL

1. Preparen oralmente sus disculpas o justificación para las siguientes situaciones.

   a) Llegar al trabajo con una hora de retraso.
   b) Perder la documentación de un cliente.
   c) Olvidar el pago de varias facturas.
   d) Tener una conducta incorrecta con los compañeros.
   e) Olvidarse de acudir a una entrevista de trabajo.

2. Por parejas: elijan una de las situaciones del ejercicio anterior y ofrezcan soluciones, de acuerdo con las instrucciones.

   - Explicar el problema y sus consecuencias.
   - Formular sugerencias para su resolución.
   - Rechazar las sugerencias y proponer otras soluciones.
   - Valorar posibles soluciones.
   - Adoptar una solución.

UN POCO DE GRAMÁTICA

Usos del verbo "poder"

1. Capacidad:

El uso más frecuente del verbo "poder" es el de expresión de capacidad o incapacidad; ya sea en términos generales: *Juan puede nadar horas y horas sin cansarse*, o respecto a situaciones específicas: *Podré verte a las 7. / No puedo entender lo que me estas diciendo.*

2. Ofrecimiento de ayuda:

En oraciones interrogativas el verbo "poder" se utiliza para expresar una oferta de ayuda. Ej: *¿Puedo ayudarte?*

3. Petición:

Como en el caso anterior, el verbo "poder" se utiliza en oraciones interrogativas para expresar peticiones. Ej: *¿Podría decirme la hora? / ¿Puedes venir un momento? / ¿Podrás hacerlo por mí?* La utilización de la formas de presente y futuro (puedes, podrás) es más informal que la del potencial (podría).

4. Posibilidad:

El verbo "poder" expresa diversos grados de posibilidad:
– **Posibilidad mayor o probabilidad:** puede + que + subjuntivo: *Puede que venga esta tarde.* (El verbo poder se utiliza de forma impersonal).
– **Posibilidad menor:** podría + infinitivo: *Podría venir esta tarde.* (El verbo poder se utiliza de forma personal : sujeto implícito él, ella). *Podría llover esta tarde.* (El verbo se utiliza de forma impersonal).

USO DE LA LENGUA

1. Diga en cuál de las siguientes oraciones se utiliza el verbo "poder" para expresar ofrecimiento, petición, posibilidad, capacidad o incapacidad.

   a) ¿Podría decirme la hora?
   b) No puede ser tan tarde.
   c) No podrás hacerlo sin mi permiso.
   d) Puede que acepten nuestras condiciones.
   e) Puedes preguntarme lo que quieras.
   f) ¿Qué puedo hacer?
   g) Dile que puede venir a la hora que quiera.
   h) No podría hacerlo sin la ayuda del ordenador.

2. Por parejas: hágale a su compañero/a tres peticiones y formúlele tres ofrecimientos utilizando el verbo "poder".

9.3 Planes de futuro

Previsiones de futuro de indicativo; "poder" y "deber".

COMPRENSIÓN AUDITIVA

1. Escuche la discusión sobre las necesidades de personal y señale las fórmulas que utilicen para expresar opinión.

- pienso que	- opino que
- a mi juicio	- creo que
- personalmente creo que	- me parece que
- considero que	- no creo que
- desde mi punto de vista	- según
- en mi opinión	- no considero que

2. Escuche de nuevo y señale las opiniones sobre las dos opciones y la decisión final.

	Susana	Antonio	Jorge	Decisión final
Formar un empleado				
Contratar un experto				
Responsable de redactar una oferta de empleo				

PRÁCTICA ESCRITA

1. Relacione las preguntas de la columna A con las respuestas de la columna B.

A	B
a. ¿Estás de acuerdo conmigo?	1. Creo que tenéis razón los dos.
b. ¿Qué te parece el proyecto?	2. Claro, por supuesto.
c. ¿Qué opinas tú?	3. Estoy completamente de acuerdo contigo.
d. ¿Cuál es tu punto de vista?	4. El proyecto me parece muy interesante.
e. ¿De acuerdo?	5. Personalmente creo que la otra opción es mejor.

2. Complete el anuncio con los siguientes términos:

equipo	Internet	contrato	experiencia	navegación
retribución	líder	fotografía	proyecto	informe

Empresa ...... en el ámbito de la publicidad acomete un ambicioso ...... de empresa

PRECISAMOS INCORPORAR PARA MADRID

EXPERTO EN ....

Requisitos:
– Licenciado universitario.
– Mínimo de dos años de ....
– Experiencia en búsqueda de información y en la elaboración de ....
– Imprescindible un mínimo de 50 horas al mes (10 horas semanales) en ....
– Acostumbrado a trabajar en ....

Ofrecemos:
– Incorporación inmediata.
– .... laboral indefinido.
– Interesante .... económica.

Las personas interesadas, deberán enviar urgentemente C.V.
con .... reciente y teléfono de contacto.

3. Exprese brevemente su opinión sobre los temas siguientes:

a) El comercio electrónico.
b) El papel de la comunicación en la empresa.
c) Trabajar en un país extranjero.
d) Jubilación a los 55 años.
e) La necesidad de saber varios idiomas.

4. Redacte un anuncio de trabajo con el siguiente guión de análisis del puesto:

- Denominación del puesto.
- Área o departamento.
- Ubicación territorial.
- Requisitos.
- Responsabilidades y funciones.
- Oferta (sistema retributivo, ambiente de trabajo, expectativas).

PRÁCTICA ORAL

1. Por parejas: cada alumno explica a su compañero/a las características de su oferta de trabajo redactada en el ejercicio anterior.

2. En grupos: comenten los siguientes problemas y adopten una decisión para resolverlos.

Alternativas

1. Su empresa desea establecerse en un país hispanohablante.
   - a) contratar personal del país.
   - b) contratar un profesor de español y enviar empleados de la empresa.

2. La oficina está sucia.
   - a) cambiar de empresa de limpieza.
   - b) contratar directamente personal de limpieza.

3. Han bajado las ventas.
   - a) rebajar los precios.
   - b) analizar la oferta de la competencia y posibles causas.

4. Nuevas instalaciones para la empresa.
   - a) alquilar oficinas.
   - b) comprar un edificio.

5. Tienen que aprender español.
   - a) estudiar en España.
   - b) estudiar en su país con un profesor particular.

UN POCO DE GRAMÁTICA

Graduación de la expresión de certeza y posibilidad

El futuro de indicativo y los verbos " poder" y "deber" tienen una utilización modal para expresar diversos grados de posibilidad.

- **Certeza absoluta positiva:**
  Volveré antes de las ocho.

- **Probabilidad máxima o deducción lógica positiva:**
  Debe estar en la oficina.

- **Posibilidad positiva (mayor):**
  Puede que vuelva antes de las ocho.

- **Posibilidad positiva (menor):**
  Podría volver antes de las ocho.

- **Posibilidad negativa (menor):**
  Podría no estar aquí a las seis.

- **Posibilidad negativa (mayor):**
  Puede que no vuelva antes de las seis.

- **Improbabilidad máxima o deducción lógica negativa:**
  No debe haber llegado todavía a la oficina, salió de casa hace sólo diez minutos. (La frase indica que es muy improbable que haya llegado a la oficina porqué salió de su casa muy poco tiempo antes.)

- **Imposibilidad:** *No puede haber llegado todavía a la oficina, salió de casa hace sólo diez minutos.* (La frase indica que es imposible que haya llegado a la oficina porque salió de su casa muy poco tiempo antes y el recorrido hasta la oficina no se puede hacer en diez minutos.)

- **Certeza absoluta negativa:**
  No volveré antes de las ocho.

USO DE LA LENGUA

1. Transforme las oraciones siguientes utilizando el tiempo correspondiente de los verbos "deber" o "poder" para realizar previsiones de presente y futuro.

   Ej: *Es posible que no lo sepa. (poder)*
   Puede que no lo sepa.

   a) Seguro que está en casa a las ocho. (deber)
   b) Quizás venga un poco más tarde. (poder)
   c) Lo lógico es que se produzca la venta. (deber)
   d) Probablemente esté todavía en el despacho. (deber)
   e) No es probable que venga antes de las 8, pero quizás lo haga. (poder)

2. Transforme las oraciones siguientes utilizando en lugar de los verbos "deber" o "poder" los adverbios o locuciones adverbiales que aparecen entre paréntesis.

   Ej: *Puede que vuelva más tarde. (tal vez)*
   Tal vez vuelva más tarde.

   a) Debería estar en casa. (probablemente)
   b) Puede que se llegue a un acuerdo. (quizás)
   c) Debe haberse marchado ya. (seguramente)
   d) Podría estar diciendo la verdad. (tal vez)
   e) Deberán llegar antes de las ocho. (con seguridad)

10.1 Hay que adaptarse al mercado

Consejos y sugerencias: condicional de conjetura: "debería" y "podría".

COMPRENSIÓN AUDITIVA

1. Escuche la entrevista y subraye los errores del texto.

    Nuestro periódico dedicado a la empresa exportadora, ha hablado con Sandy Barton. La señora Barton es la jefe de compras de uno de los mercados de alimentación más importantes del Reino Unido.

Locutor:	Señora Barton, ¿podría explicarnos por qué han decidido incluir los productos españoles en su tienda?
Señora Barton:	Quizás ... la principal razón ha sido que hemos percibido el interés del público británico que conocía estos productos y, sin embargo, no los encontraba aquí.
Locutor:	Entonces, ¿qué consejo daría a los exportadores?
Señora Barton:	El exportador debería ser menos agresivo, viajar más al Reino Unido y dar información sobre sus productos. ¡Oh!, y hay que adoptar el mercado.
Locutor:	Desde su punto de vista, ¿qué alimentos tendrán más posibilidades en este mercado?
Señora Barton:	Todos los que tengan una buena relación calidad/precio y, quizás, los que sean más originales.
Locutor:	Para terminar, ¿como podría un exportador ponerse en contacto con ustedes?
Señora Barton:	La forma más fácil es enviar un fax al jefe del departamento de ventas, remitiendo los productos y un catálogo.
Locutor:	Muchas gracias por sus consejos y sugerencias, señora Barton.

2. Escuche la entrevista de nuevo y corrija los errores que ha subrayado.

PRÁCTICA ESCRITA

1. Señale el orden correcto del proceso para hacer una oferta a la empresa.

    a) Presentar, antes de la primera cita, un historial de la empresa.
    b) Proporcionar durante la entrevista información sobre los precios, el producto, documentación sobre los planes de marketing.
    c) Adjuntar muestras del producto.
    d) Dirigirse por escrito al jefe de compras del departamento correspondiente.

2. Redacte sugerencias y consejos para una empresa que ha decidido iniciar su actividad comercial en su país: productos interesantes, normas técnicas y de calidad, formalización de contratos, ferias importantes, medios de transporte, aspectos culturales, etc., utilizando expresiones como las siguientes:

    a) En primer lugar, debería ...
    b) Tendría que ...
    c) Podría ...
    d) Lo más conveniente es ...
    e) Lo más fácil es ...

PRÁCTICA ORAL

1. Con ayuda de un diccionario, defina los siguientes términos.

    – Responsable de compras.
    – Cadena de alimentación.
    – Relación calidad/precio.
    – Muestras de los productos.
    – Lista de precios.

2. Por parejas: comparen y comenten sus consejos y sugerencias del ejercicio 2 de la práctica escrita.

3. En grupo: preparen los consejos y sugerencias para la creación de una empresa.

    Ej: *Creación de una productora musical.*

    – Contar con un profundo conocimiento del sector (tendencias musicales y gustos del público).
    – Seleccionar un buen equipo de profesionales.
    – Elaborar una amplia agenda de contactos de empresas y profesionales del sector (estudios de grabación, distribuidoras, medios de comunicación, compositores, etc.).
    – Buscar vías de promoción.

UN POCO DE GRAMÁTICA

Consejos y sugerencias

Formas:

Consejos y sugerencias positivas: *debería, podría.*

La conveniencia de realizar una acción se expresa mediante consejos o sugerencias con los verbos *debería* y *podría*. El hablante expresa mayor firmeza en su convicción en la conveniencia de la acción utilizando *debería*; *podría* indica más una sugerencia que un consejo.

Ej: *Deberías volver antes de las ocho si quieres que lleguemos al teatro.*
Podrías volver pronto para irnos al cine.

Consejos y sugerencias negativos: *no debería, podría no + infinitivo.*

La conveniencia de no realizar una acción se expresa mediante la forma negativa: *no debería.*

Ej: *No deberías volver después de las ocho.*
Podrías no llegar tan tarde la próxima vez.

USO DE LA LENGUA

1. Por parejas. utilizando " deberías + infinitivo" o "no deberías + infinitivo" aconseje o sugiera a su compañero/a que haga las siguientes cosas.

    Ej: *Que no llegue tan tarde a casa. / No deberías llegar tan tarde a casa.*

    a) Que rebaje el precio de estos artículos.
    b) Que deje de fumar.
    c) Que trate de conservar su puesto de trabajo.
    d) Que no discuta con sus compañeros.
    e) Que no se preocupe por la entrevista del día siguiente.
    f) Que sea amable con la gente.
    g) Que llegue puntual a la cita.
    h) Que no trabaje tanto.
    i) Que no se ponga nervioso cuando hable con su jefe.
    j) Que se esfuerce todo lo que pueda.

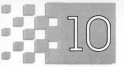

10.2 Nuestro puesto de trabajo

La expresión de obligación: "deber" y "tener que + infinitivo".
La expresión de permiso: "poder".

COMPRENSIÓN AUDITIVA

1. Lea las tres ofertas de empleo y anote las diferencias. Después escuche la descripción de la oferta de empleo y elija el anuncio correspondiente.

Comerciales

SE REQUIERE
✓ Experiencia comercial.
✓ Edad comprendida entre 25-35 años.
✓ Disponibilidad para viajar.
✓ Coche propio.

SE OFRECE
✓ Producto competitivo.
✓ Incorporación inmediata a una sólida empresa.
✓ Gran desarrollo profesional y humano.
✓ Contrato laboral. Retribución fija + incentivos + gastos.

COMERCIALES

Pensamos en jóvenes titulados con aptitudes para la venta técnica ofreciendo soluciones y proyectos informáticos a nuestros clientes de Pymes y Despachos Profesionales.

Precisamos:
- Preferible con titulación en carrera de gestión (Económicas, Empresariales, Derecho, Graduado Social, etc.).
- Edad a partir de 25 años.
- Vehículo propio.

Valoramos:
- Conocimientos de gestión administrativa.
- Experiencia mínima de 1 año en ventas.
- Ofimática a nivel usuario.

Ofrecemos:
- Plan inicial de formación tanto comercial, como de producto y servicios.
- Integración en una Compañía con 28 años de experiencia en el sector.
- Posibilidades reales de desarrollo y proyección profesional.
- Interesante retribución económica, acorde con los valores aportados, y contratación laboral estable.

EJECUTIVOS/AS COMERCIALES

Su misión consistirá en la venta de artículos promocionales a Empresas.

REQUISITOS:
- Edad, entre 28-35 años (no excluyente).
- Se valorará de forma notable la formación universitaria y la experiencia en la venta de servicios destinados a empresa.
- Incorporación Inmediata.

SE OFRECE:
- Salario altamente competitivo, compuesto por un salario fijo, importantes incentivos y otras ventajas extra-salariales.
- Contrato Indefinido.
- Incorporación a un Equipo de Ventas muy consolidado en Madrid.

La empresa	A	B	C
Requiere:			
Ofrece:			
Valora:			

2. Relacione cada uno de los anuncios del ejercicio anterior con la empresa correspondiente.

COMPAÑÍA ESPECIALIZADA EN REPARACIONES Y REFORMAS

Sociedad Estatal de Salvamento y Seguridad Marítima

Primera Empresa Nacional de Servicios Informáticos en fase de expansión, precisa para sus **Delegaciones en MADRID Y VALLADOLID**

EMPRESA LÍDER EN EL SECTOR DE TELEFONÍA MÓVIL CON FUERTE EXPANSIÓN NACIONAL **PRECISA PARA MADRID**

Grupo Manin de Publicidad, S.A.
Compañía líder en artículos promocionales y publicitarios, continuando con sus planes de expansión, desea incorporar para su equipo comercial de Madrid y Provincia:

PRÁCTICA ESCRITA

1. Utilice un diccionario para definir los siguientes términos.

   – Incorporación inmediata.
   – Contrato indefinido.
   – Disponibilidad para viajar.
   – Incentivos.
   – Ofimática

2. Elija una de las ofertas de empleo del ejercicio 1 de la comprensión auditiva para describir las características del candidato.

   El candidato:
   Tiene que ...
   Debe ...
   Ha de ...
   Debería ...

PRÁCTICA ORAL

1. Por parejas: cada alumno elige una de las ofertas de empleo de esta unidad para intercambiar opiniones sobre sus características y requisitos.

2. En grupos comenten sobre los consejos siguientes para superar una entrevista de trabajo.

Entrevista personal:
– Cuidar la imagen.
– Demostrar gran seguridad.
– Estar tranquilo.
– No desconfiar.
– Ser sincero.

Entrevista colectiva.
– Asumir el papel de líder.
– Defender las ideas propias.
– Centrarse en el tema.

Entrevista bajo presión.
– Controlar las emociones.
– Mostrar educación.

UN POCO DE GRAMÁTICA

La expresión de obligación

Formas:

Obligación positiva: *deber, tener que + infinitivo*.

La obligación de realizar una acción se expresa mediante el uso indistinto de los verbos *deber* o *tener que + infinitivo*. La única diferencia es que *deber* da una mayor fuerza al carácter obligatorio de la acción.

Ej: *Debes volver antes de las ocho*.
   Tienes que volver antes de las ocho.

Obligación negativa: *no deber*

La obligación negativa se expresa mediante la forma negativa del verbo *deber*.

Ej: *No debes volver después de las ocho*.

Nota: *no tener que + Infinitivo* no expresa obligación negativa, sino falta de obligación o necesidad de realizar una acción.

Ej: *No tienes que venir antes de las nueve*.
   No hace falta (no es necesario) que vengas antes de las nueve.

USO DE LA LENGUA

1. Transforme las oraciones siguientes utilizando " debes + infinitivo" o "no debes + infinitivo".

Ej: *No vengas tan tarde*. / *No debes venir tan tarde*.

a) Cierra la puerta del despacho.
b) Terminad ese informe.
c) ¿Compramos papel para la impresora?
d) Organicemos un seminario sobre economía.
e) No tengas tanta prisa.
f) No te pongas nervioso en la entrevista.
g) No pagues hasta que llegue la mercancía.
h) Deja de fumar.

2. Transforme las oraciones siguientes utilizando " tener que + infinitivo".

Ej. *Hazte a la idea de que estás despedido.*
   Tienes que hacerte a la idea de que estás despedido.

a) Date prisa.
b) Llegad a un acuerdo lo antes posible.
c) Telefonea al Sr. Martín.
d) Que se esfuercen todo lo que puedan.
e) Dile al contable que venga mañana.
f) Conviene que mejores tu español.
g) Rellenad este impreso.
h) Salid del aula ordenadamente.

10.3 Necesitamos más gente; la entrevista de trabajo

La expresión de necesidad: "necesitar".
La falta de necesidad: "no tener que + infinitivo".

COMPRENSIÓN AUDITIVA

1. Escuche y tome notas para completar la ficha.

   – Nombre de la empresa:
   – Sector económico.
   – Actividad:
   – Número de empleados:
   – Oficinas en:
   – Otros datos:

   – Puestos de trabajo que ofrecen:
   – Dirección:

2. Escuche de nuevo y subraye las características de los candidatos.

   a) Profesionales sin aspiraciones / con aspiraciones / ilusionados.
   b) Directivos con experiencia / capaces / sin ideas.
   c) Gente desilusionada / con ideas / capaz.
   d) Vendedores / técnicos / gerentes con experiencia.
   e) Expertos en ventas / Internet / sistemas de información.

PRÁCTICA ESCRITA

1. Repase los datos del anuncio y redacte un resumen.

La empresa:	El candidato:	Para trabajar en esta empresa:
Necesita ...	Debe ...	Hay que (tener/ser) ...
Busca ...	Debería ...	No hay que (ser/tener) ...
Ofrece ...	Tiene que ...	Tienes que (estar/tener) ...
		No tienes que (ser) ...

2. Complete la carta para solicitar un puesto de trabajo con los siguientes términos:

información	saluda	requisitos	puesto	fotografía
español	abogado	atentamente	ustedes	señores	27

Su dirección

Dirección de la empresa

Lugar, fecha

Muy .... míos:

Tengo el gusto de dirigirme a .... para ofrecerles mis servicios como .... dado que creo reunir los .... que ustedes exigen para el puesto. En la actualidad tengo .... años y cuento con experiencia en un .... similar.

Hablo y escribo .... con fluidez.
Tendré mucho gusto en proporcionarles .... más detallada si ustedes lo consideran necesario.

En espera de sus noticias, les ....

Anexo: C.V. y .... reciente.

---

3. Relacione las expresiones de la columna A con las de la columna B.

A	B
a) currículo vitae	1) español fluido
b) incorporación en plantilla	2) historial profesional
c) fotografía reciente	3) entre 30 y 35 años
d) la edad adecuada es ...	4) integración en equipo
e) dominio del español	5) foto

PRÁCTICA ORAL

1. Por parejas: preparen la conversación telefónica para solicitar una entrevista de trabajo.

   – Saludos.
   – Preguntar por la persona responsable de la empresa.
   – Decir objeto de la llamada.
   – Pedir detalles sobre el trabajo y la empresa.
   – Concertar entrevistas, día, hora y documentación que se necesita.
   – Despedida.

2. En grupos: después de leer el texto, comenten con sus compañeros acerca de la comunicación no verbal y su importancia en el transcurso de una entrevista de trabajo y la vida laboral.

• La mirada el contacto ocular implica el inicio de una posible interacción. Indica atención y sirve para regular los turnos de palabras. Calcule que el 75 % del tiempo de la entrevista debería mirar directamente al entrevistador.

• La expresión facial: indica el estado de ánimo, los sentimientos y las actividades. Procure que la expresión facial concuerde con el mensaje.

• La sonrisa: es una invitación a la apertura de los canales de comunicación. Conviene sonreír sin excederse.

• La postura corporal: procure mantener la cabeza alta y los hombros hacia atrás para dar la impresión de energía y vitalidad. Puede inclinar el cuerpo hacia delante para indicar actitud positiva.

• Las manos: los movimientos de las manos sirven para ilustrar ideas o acciones. También pueden contradecir el mensaje oral. Tocarse el pelo, la nariz o la corbata indica inseguridad.

• La distancia: el grado de proximidad denota la naturaleza de la interacción Procure mantener una postura cercana pero sin invadir el espacio del entrevistador.

UN POCO DE GRAMÁTICA

La expresión de necesidad

Formas:

Necesidad *positiva:* *.necesitar.*

Formas personales:

La necesidad de realizar una acción se expresa mediante el uso del verbo *necesitar + complemento directo.*
Ej: *Necesito que vengas antes de las ocho.*
    Necesito llegar pronto.
    Necesito el coche para ir a Toledo esta tarde.

Formas impersonales: *es necesario, hace falta.*

La necesidad de realizar una acción puede también expresarse mediante las formas impersonales antes indicadas.
Ej: Es necesario que vengas. ¿Hace falta que te lo repita?

Falta de necesidad u obligación:

Formas personales: *no necesitar, no tener que + infinitivo.*
Ej: *No necesito que me respondas ahora.*
    No tienes que responderme ahora.

Formas impersonales: No es necesario, no hace falta.
Ej: *No hace falta que me ayudes.*
    No es necesario que vengas mañana.

USO DE LA LENGUA

1. Rellene los huecos con el verbo "necesitar".

   a) (yo) .... el coche esta tarde.
   b) No sé el tiempo que vas a .... para acabar el informe.
   c) (yo) .... que vengas cuanto antes.
   d) Cuanto tiempo .... para decidiros.
   e) No .... disculparte.

2. Transforme las siguientes oraciones utilizando las expresiones de necesidad " hace falta que" o "no hace falta que."

   a) Tiene usted que hablar del Euro en una próxima charla.
   b) No tenéis que venir a buscarnos.
   c) ¿Tengo que repetirlo?
   d) ¿Necesitamos pagar en Euros?
   e) No tenemos que llevar pasaporte para los países de la Unión.

3. Transforme las siguientes oraciones utilizando las expresiones de necesidad "es necesario que" o "no es necesario que".

   a) No tienes que llegar antes de lo previsto.
   b) ¿Tenéis que venir tan temprano?
   c) Alguien tiene que ayudarme.
   d) No necesito que nadie me diga lo que tengo que hacer.
   e) Alguien tiene que decirle la verdad.

4. Diga en cuál de las siguientes oraciones el verbo expresa: necesidad, obligación, falta de necesidad u obligación, consejo, sugerencia, permiso o prohibición.

   a) Debes acabar antes de las siete.
   b) Puedes irte en cuanto acabes el informe.
   c) Deberías tener más cuidado con lo que dices.
   d) No hace falta que te disculpes.
   e) No tienes que preocuparte.
   f) No debes ser tan soberbio.
   g) Podríais intentar llegar a un acuerdo.
   h) ¿Es necesario que te lo repita?
   i) No se puede fumar en los edificios públicos.
   j) No tienes que contestarme ahora, piénsatelo y ya hablaremos.

1. Termine cada una de las siguientes oraciones de forma que signifique exactamente lo mismo que la oración anterior.

   a) He alquilado un local en Barcelona porque quiero establecerme allí.
   Como ....
   b) Hace dos meses que vivo en esta casa.
   Llevo ....
   c) Tu ganas más dinero que yo.
   Yo no ....
   d) Llevo mucho tiempo sin invertir en bolsa.
   Hace ....
   e) Suelo comprar letras del tesoro cuando tengo dinero ahorrado.
   Normalmente ....
   f) Han llegado en este momento.
   Acaban ....
   g) ¿Llueve ahora?
   ¿Está ....?
   h) Como quiero cambiarme a un piso mayor he vendido el mío.
   He vendido ....
   i) El Sr. García es tan decidido como el Sr. Sánchez.
   El Sr. Sánchez ....
   j) Usted habla el español mejor que él.
   El ....

2. Rellene los huecos con la preposición adecuada.

   a) .... qué mes estamos ?
   b) .... qué día estamos hoy ?
   c) Llegaron alrededor .... las 7.30 .... la tarde.
   d) Estuvimos esperando .... las 9 .... las 10.
   e) Te veré el 25 .... agosto .... la mañana.
   f) Vimos la fábrica .... nuestra visita el año pasado.
   g) ¿... qué momento debo decirlo?
   h) Abrimos .... 9 .... la mañana .... 7 .... la tarde.
   i) ¿....... qué hora llegaremos?
   j) El accidente ocurrió .... medianoche.

3. Rellene los espacios en blanco en el tiempo y forma adecuados con uno de los verbos que aparecen en el recuadro.

conceder solicitar hacer recoger exponer rechazar rebajar contar preparar introducir

   a) La oferta era buena pero él la ....
   b) Le .... una nueva oferta el mes que viene.
   c) Nuestro abogado ya tiene .... el contrato.
   d) ¿Estás seguro de que .... bien el dinero?
   e) Tres personas .... bien el empleo ayer mismo.
   f) Deberías .... el precio, es un poco alto.
   g) El banco no nos .... el préstamo si no hay un avalista.
   h) Tienes que .... nuestros productos en el mercado.
   i) ¿Puedo .... mi idea?
   j) Están .... firmas en apoyo del director.

4. Marque la respuesta correcta:

1. Mi secretaria ... ocho horas diarias.
   a) trabajan   b) trabaja   c) trabajas

2. ¿ Por qué no ... usted un taxi?
   a) coges   b) cojo   c) coge

3. ¿ Tienes coche nuevo? Sí, acabo de comprar ...
   a) lo   b) la   c) se

4. Estoy cansado porque trabajo ...
   a) varios   b) mucho   c) mucha.

5. ¿ Quieres ... arroz?
   a) un trozo de   b) una pieza de   c) un poco de

6. Iré al almacén ... esta calle.
   a) en   b) por   c) a

7. Nos ... de vacaciones en agosto.
   a) iremos   b) irán   c) iréis

8. Ellos se ... aquí más tiempo.
   a) quedarán   b) quedaréis   c) quedaremos

9. Este fax es ... usted.
   a) a   b) para   c) por

10. ¿... agua bebes?
    a) cuánta   b) cuál   c) cuánto

11. Todo depende ... tu decisión.
    a) con   b) de   c) por

12. Acabamos de ... la última máquina.
    a) vender   b) vendido   c) vendiendo

13. ¿... quedaréis a cenar?
    a) nos   b) les   c) os

14. Aquí está el paquete. Deja... en el suelo.
    a) se   b) te   c) lo

15. ¿Qué ... hecho? He preparado el informe.
    a) habéis   b) han   c) has

16. Vamos a ... una nueva sucursal.
    a) abrir   b) abriendo   c) abierto

17. La gente no ... tanto por una entrada.
    a) pagarán   b) pagará   c) pagareis

18. Hemos ... una carta de España.
    a) recibido   b) recibiendo   c) recibir

19. Están ... el camión en este momento.
    a) descargar   b) descargando   c) descargado

20 El avión llegará a Barajas ... las siete.
   a) a   b) de   c) por

5   Ponga el verbo entre paréntesis en el tiempo y forma correcta.

a) Me (poner) en contacto con usted mañana.
b) Me (comprar) esta fotocopiadora hace un mes.
c) El Sr. Sánchez (hablar) por teléfono en este momento.
d) ¿(inaugurar) tu exposición ya?
e) Esa tienda (abrir) a la misma hora todos los días.
f) Yo (faltar) al trabajo ayer porque (estar) enfermo.
g) Me (ocupar) de esto en cuanto pueda.
h) ¿(recibir) ya la contestación a tu solicitud?
i) Generalmente (ir) a Sevilla cada 15 días porque (tener) un pequeño negocio allí.
j) Dime a qué hora (venir) mañana porque (querer) hablar contigo.

6.   Utilice las palabras que están desordenadas para componer una oración correcta.

Ej: *mañana/ cine/ ir/ gustaría/ me/ noche/ por/*
    Me gustaría ir al cine mañana por la noche.

a) favor/ lo/ paga/ posible/ factura/ antes/ por/ la
b) grandes/ la/ empresas/ están/ bolsa/ las/ ganancias/ grandes/ tecnológicas/ teniendo/ en
c) revisarla/ pagues/ antes/ de/ hotel/ nunca/ una/ cuenta/ de
d) 20.000/ necesita/ mi/ coche/ kilómetros / cada/ revisión/ una
e) el/ las/ comprado/ concierto/ todavía/ he/ para/ entradas/ no
f) claras/ futuro/ ideas/ su/ respecto/ muy/ tiene/ a/ las
g) verdad/ este/ pagarías/ de/ por/ todo/ embrollo?/ saber/ ¿cuánto/ la
h) la/ semana/ la/ aplazar/ para/ tal/ próxima/ vez/ pueda/ cita
i) a/ la/ razón/ tiene/ saber/ quien
j) a/ algo/ invertir/ tan/ en/ nunca/ arriesgado/ volveré

Grabaciones

Grabación

Unidad 1
NUESTRA EMPRESA

1.1   Gente de la Empresa

COMPRENSIÓN AUDITIVA

1.   Escuche y relacione las conversaciones con las situaciones que aparecen en las fotografías.

Sr. Romero:	Señora Anderson, permítame que le presente a nuestro Director General, el señor Jimenez.
Sr. Jiménez:	Mucho gusto en conocerla. ¿Cómo está usted?
Sra. Anderson:	Muy bien, gracias. Encantada de conocerle.
Señor Romero:	La señora Anderson es la Directora de Compras de SKANDIA.
Sr. Jiménez:	¿SKANDIA? Es una empresa muy importante.
Sra. Anderson:	Muchas gracias.

2.

Elena Gómez:	Mira, te voy a presentar a Marta. Es la nueva secretaria de dirección.
Jorge González:	Bienvenida a la empresa.
Marta:	Muchas gracias. Pero, ¿cómo te llamas?
Jorge:	Perdona. Soy Jorge González y trabajo en el Departamento de Marketing.
Marta:	¿Qué haces?
Jorge:	Me encargo de la investigación de mercados.
Marta:	Parece interesante. Bueno... Me voy a trabajar. Encantada.
Jorge:	Hasta luego.

3.

Recepcionista:	Buenos días.
Pierre Bouvier:	Hola, buenos días. Tengo una entrevista con el Jefe de Personal.
Recepcionista:	¿Su nombre, por favor?
Pierre:	Me llamo Pierre Bouvier.
Recepcionista:	¿Perdone?
Pierre:	B-O-U-V-I-E-R-, Pierre.
Recepcionista:	Un momentito, por favor.
	Señor Romero, el señor Bouvier está en recepción.
	Sí, sí. De acuerdo. Hasta ahora.
	¿Quiere acompañarme, por favor?
Pierre:	Muchas gracias.

1.2   Nuestras actividades

COMPRENSIÓN AUDITIVA

1.   Escuche y elija la tarjeta apropiada.

a) Soy Tomás Aragón, Director Financiero de TELFAN, somos una empresa nacional, líder en el sector de las telecomunicaciones, nuestra oficina principal está en Madrid pero tenemos delegaciones en Cataluña, Andalucía y Galicia.

b)

    A) BERNASA, dígame.
    B) ¿Me pone con el departamento de exportación?
    A) ¿Con quién desea hablar, por favor?
    B) Con el señor Emery.
    A) El señor Emery está en una reunión. ¿Quiere dejarle algún mensaje?
    B) Sí, soy Alberto Puerto ...
    A) ¿Señor Puerta?
    B) No, no. Puerto ... P-U-E-R-T-O, de PLATA EXPORT, Buenos Aires.
    A) ¿Me dice su número de teléfono.
    B) Sí, este ... estoy en el Hotel GRAN VÍA ... teléfono 91 563 34 60, habitación 4080.
    A) Muchas gracias, señor Puerto.

c)

Teresa Martíns, de 36 años, es la nueva Directora de Cuentas para España y Portugal de la Consultora INFORTEL. Martíns es licenciada en Ciencias Económicas y Empresariales y tiene una amplia experiencia en el área de auditoría y contabilidad.

d)

Tomás Martínez, natural de Guanajuato, México, emigró, junto con sus padres, a Estados Unidos a la edad de 12 años y trabaja como programador en NOTEL, una empresa de informática dedicada a la elaboración de programas contables para pequeñas empresas. NOTEL tiene su sede social en Santa Bárbara, California, y cuenta con más de 200 empleados.

1.3   Nuestro tiempo libre

COMPRENSIÓN AUDITIVA

1. Escuche y anote las aficiones y deportes que practican en su tiempo libre.

a)   Jorge: ¿Marta?, soy Jorge.
          Marta: Hola, buenas tardes.
          Jorge: Oye, ¿te gusta el teatro?
          Marta: Me encanta.
          Jorge: ¿Te apetece ir esta noche?
          Marta: No, hoy no puedo ... es que tengo entradas para un concierto.
          Jorge: ¡Vaya!
          Marta: Lo siento. Otro día.
          Jorge: De acuerdo, hasta luego.
          Marta: Hasta luego.

b) Sr. Romero: ¿Practica usted algún deporte, señor Bouvier?
       Bouvier: Sí, varios. Esquí y natación y, en verano, submarinismo.
    Sr. Romero: ¿Qué otras aficiones tiene?
       Bouvier: Viajar y conocer otros países y otras culturas. También me gusta mucho leer ... generalmente revistas científicas y de viajes. ¡Ah!, y voy al cine con frecuencia.
(suena el teléfono)
    Sr. Romero: Sí, Juan Romero al habla. ¡Hola Jaime! ¿Mañana por la tarde? Claro, yo siempre tengo tiempo para jugar al golf, de acuerdo, hasta mañana.
                 Perdone, señor Bouvier. ¿Juega usted al golf?
       Bouvier: No, me parece muy difícil.
    Sr. Romero: Pero es apasionante.

Unidad 2
NOS VAMOS DE VIAJE
I. Hay que prepararse

2.1   Preparamos el viaje

COMPRENSIÓN AUDITIVA

1.   Escuche la conversación entre el Director de exportación y su secretaria y anote los datos del viaje:

Secretaria: Don Juan, le recuerdo que hoy hay que hacer las reservas del viaje a Sevilla y preparar la reunión de Suecia.

Director: Gracias, Charo. ¿Puede venir a mi despacho un momento?

S: Ahora mismo.

D: Sevilla ... vamos a ver ... sí, aquí está. Nos reserva la ida el martes 15 y el regreso el día 18, en el AVE.

S: ¿Cuantas plazas?

D: Cuatro en clase preferente. ¿A qué hora sale el primero de la mañana?

S: Hay uno a las siete y otro a las siete y media.

D: El de las siete, si es posible.

S: ¿Y la vuelta?

D: ¿Que horario tiene el viernes por la tarde?

S: A las cuatro ... a las cinco ... a las seis ... a las ...

D: ¿A qué hora llega a Madrid el de las seis?

S: A ver ... a las 20.25

D: Entonces, el regreso en el de las seis de la tarde.

S: ¿Pido la reserva del hotel, también?

D: Claro, claro, el hotel de siempre, el COLÓN.

S: Cuatro individuales, ¿no?

D: Sí. Después le doy los detalles del viaje a Suecia.

S: De acuerdo.

2.   Escuche las instrucciones del Director de Exportación y elija la respuesta correcta.

Director: Charo, por favor ... es sobre el viaje a Suecia. Finalmente vamos el Director General y yo. Tenemos la primera reunión el día 4 de junio en Estocolmo, y otras dos visitas los días 5 y 6. ¿Hay algún vuelo directo el día 3?

Secretaria: El día 3 es lunes ... solamente hay un vuelo a las 10.50, con escala en Barcelona.

D: De acuerdo. El Director General se va a quedar dos días más. Yo regreso el día 7, pero vía Barcelona, porque el día ocho tengo una reunión de exportadores de vino allí.

S: Entonces, les reservo dos plazas Madrid-Estocolmo, en clase preferente, para el 3 de junio. La vuelta el 9 para el señor Ribera y, para usted, Estocolmo-Barcelona el 7. ¿Qué hotel les pido?

D: Uno que esté cerca del Parlamento.

S.   El SHERATON, entonces.

D: Muy bien. Y para mí, en Barcelona, el PLAZA, ¡Ah! Y un billete Barcelona-Madrid en el puente aéreo. ¿Ya tiene todo?

S: Sí, sí. Perfecto. Hasta luego.

2.2 Reservamos hotel

COMPRENSIÓN AUDITIVA

1. Escuche las reservas por teléfono y complete el formulario.

a)
Telefonista:	FORUM HOTEL, dígame.
Secretaria:	¿Me pone con reservas, por favor?
T:	Le paso.
Reservas:	Reservas, buenos días.
S:	Hola, ¿Tienen alojamiento para los días 27 y 28 de abril?
R:	¿Cuántas habitaciones?
S:	Dos dobles y un individual.
R:	Dos noches, ¿verdad?
S:	Eso es.
R:	Le confirmo dos habitaciones dobles y una individual. Entrada el día 27 y salida el 29. ¿A nombre de quién?
S:	Señores Yamashita.
R:	¿Me lo puede deletrear?
S:	Sí, por supuesto. Y-A-M-A-S-H-I-T-A.
R:	Muy bien, gracias. ¿Dirección y teléfono?
S:	Es la empresa OSAKA de Madrid, calle Chile 24, teléfono 915 14 98 10.
R:	¿Forma de pago?
S:	Directamente, con tarjeta de crédito. ¿Se lo confirmo por fax?
R:	Sí, por favor.
S:	Perdone ... ¿Hay algún campo de golf cerca del hotel?
R:	Sí. A cinco kilómetros.
S:	Estupendo, gracias.

b)
Reservas:	AL ANDALUS PALACE. Buenas tardes.
Secretaria:	Le llamo de la empresa GESMAN para hacer unas reservas.
R:	¿Para cuándo?
S:	Del 1 al 5 de mayo ....tres individuales.
R:	Lo siento. El hotel está completo. En esas fechas son las fiestas de mayo y además hay varios congresos. Le puedo ofrecer otro hotel de nuestra cadena a diez kilómetros de Sevilla ...
S:	No, muchas gracias.

c)
Reservas:	Hotel LA RECONQUISTA.
Agente de Viajes:	Hola, soy Elena , de viajes CARISMA.
R:	Hola, Elena. Soy José María. ¿Qué tal?
Ag:	Muy bien, gracias. Mira quiero reservar varias habitaciones.
R:	Dime fechas.
Ag:	Del 10 al 14 de julio, una doble.
R:	Conforme. ¿Nombre?

Ag: Para los Señores De Valle.
   Después del 12 al 15 tres dobles y una individual ... a nombre de Vinos del Duero.

R: ¿Cómo?

Ag: Perdona es la empresa, ¿Te digo el nombre de los clientes?

R: Sí, por favor.

Ag: De acuerdo: Jiménez, Hernández, Ferreiro y Branco.

R: ¿Branco, con R?

Ag: Sí, B-R-A-N-C-O.

R: ¿Forma de pago?

Ag: Con bono.

R: De acuerdo. ¿Nada más?

Ag: Nada más. Gracias.

R: A ti.

2.3 Un viaje en avión

COMPRENSIÓN AUDITIVA

1. Escuche y relacione los diálogos y los mensajes con las situaciones correspondientes:

a)

Empleada
IBERIA: IBERIA, dígame.

Mujer: Hola buenas tardes. ¿Me puede decir si hay algún vuelo a Viena por la tarde?

E: ¿Desde Madrid?

M: No. Desde Barcelona.

E: Un momentito ... hay uno diario, a las 16.15.

M: ¿Es un vuelo de IBERIA?

E: De IBERIA y de AUSTRIAN AIRLINES.

M: ¿Puede decirme si hay plazas para el jueves?

E: IB 4598 ... el jueves ... sí. Hay varias plazas.

M: Muchas gracias, señorita.

E: De nada. Adiós.

b)

Pasajero: ¿Puedo facturar aquí para Viena?

Empleada de
facturación: Sí, desde luego, ¿Me permite su billete? Y el pasaporte ....

P: Aquí tiene.

E: ¿Va a facturar equipaje?

P: Una maleta pequeña.

E: ¿Fumador o no fumador?

P: No fumador.

E: ¿Ventanilla o pasillo?

P: Ventanilla.

E: Su tarjeta de embarque. Hora límite 15.45, puerta B.

P: Muchas gracias.

E: De nada. ¡Buen viaje!

Grabación

c)

1. Última llamada para los pasajeros del vuelo AZ 079, con destino Roma. Embarquen por puerta 16.

2. Señor y señora Ribera diríjanse inmediatamente a la puerta de embarque número 10.

3. Pasajeros en tránsito, destino Buenos Aires ... Vuelo de Aerolíneas Argentinas 1955, preséntense en el mostrador de información.

4. La compañía AEROFLOT anuncia el retraso de 30 minutos de su vuelo SU 298, destino Moscú.

5. KLM anuncia la salida de su vuelo KL 360, destino Amsterdam, puerta 22.

d)

Buenas tardes y bienvenidos a bordo.
Éste es el vuelo de IBERIA 3488 Madrid-Ginebra. La duración estimada del vuelo es de una hora y cuarenta y cinco minutos.

(ruido de motores)

Abróchense los cinturones de seguridad, por favor.
No fumen y mantengan el respaldo de su asiento en posición vertical.
Dentro de unos minutos les ofreceremos un desayuno. El comandante Moreno y su tripulación les desea un feliz viaje.

Unidad 3
NOS VAMOS DE VIAJE
II. Ya hemos llegado

3.1   La llegada

COMPRENSIÓN AUDITIVA

1. Escuche la conversación en la Recepción del hotel y subraye la opción correcta.

Recepcionista: Buenos días.
   Cliente: Hola, buenos días. Tenemos una reserva para hoy.
     R: ¿Me permite su bono?
     C: Perdone. Aquí tiene.
     R: Señora Osuna y señor Lozano, dos individuales ... Tres noches, ¿verdad?
     C: Exactamente.
     R: Rellenen esta ficha con sus datos, por favor.
     C: ¿Podemos desayunar todavía?
     R: El restaurante está cerrado ya pero pueden ir a la cafetería, al final del vestíbulo.
     C: Muy bien. Muchas gracias.
     R: Perdone. ¿Su número de pasaporte o de carnet de identidad?

C: Disculpe. Ya está.

R: Habitaciones 401 y 403, en el cuarto piso. Aquí tienen las llaves y la tarjeta de bienvenida. ¿Tienen equipaje?

C: Una bolsa y un maletín.

R: Ahora mismo les acompañan a sus habitaciones. ¡Feliz estancia!

C: Muchas gracias. Esto ... ¿Tiene algún plano de la ciudad?

R: En la conserjería se lo dan.

3. Algunos clientes están en la conserjería. Señale las preguntas que oiga.

   a) ¿Me puede dar un plano de la ciudad?
   b) ¿Sabe a qué hora cierran los bancos?
   c) Perdone, ¿Dónde puedo encontrar una farmacia?
   d) ¿Para ir al centro de la ciudad?
   e) ¿Puede pedir un taxi, por favor?

3.2   Concertamos la visita

COMPRENSIÓN AUDITIVA

1. Escuche las tres conversaciones telefónicas y anote los detalles:

   a)

   Telefonista: TUBICEX, buenos días.

   Lozano: Buenos días. ¿Me pone con el señor Wilson?

   T: ¿De parte de quién por favor?

   L: Soy Manuel Lozano, de INOXA.

   T: Un momentito.
   ¿Señor Lozano? El señor Wilson comunica ... ¿Le espera o vuelve a llamar?

   L: ¿Podría dejarle un mensaje?

   T: Por supuesto. Dígame señor Lozano.

   L: Es para confirmar nuestra entrevista de mañana. Estamos en el Hotel Hernán Cortés. Teléfono 534 60 00, habitación 403.

   T: Me dijo de INOXA, ¿verdad?

   L: Eso es. Muchas gracias, señorita.

   b)

   Telefonista
   hotel: HERNÁN CORTÉS, buenos días.

   Secretaria: Con la habitación 403, por favor.

   T.H.: Le pongo.

   Lozano: Sí, dígame.

   S: ¿Señor Lozano?

   L: Sí, al aparato.

S: Le paso con el señor Wilson.

L: Muchas gracias.

Wilson: Señor Lozano ... Hola, buenos días. ¿Qué tal el viaje?

L: Muy bien. Gracias. Mire, queríamos confirmar nuestra entrevista de mañana. A las diez, ¿verdad?

W: Correcto. A las diez en nuestra oficina central. ¿Tiene la dirección, verdad?

L: Sí, sí. Avenida de la Costa 60.

W: Eso es. Entonces, hasta mañana. Encantado de saludarle.

Lozano: Igualmente.

c)

Telefonista hotel: Hotel HERNÁN CORTÉS, buenos días.

Casado: ¿Me pone con la habitación del señor Lozano, por favor?

TH: Un segundo.

Lozano: ¿Dígame?

C: ¿Manolo Lozano? Soy Casado.

L: ¡Hola! ¿Qué hay?

C: ¿Cómo estas? ¿Quién ha venido contigo?

L: María Osuna.

C: ¿Tenéis alguna cita esta tarde?

L: No. Tenemos la tarde libre. ¿Por qué?

C: Porque podemos comer o cenar juntos.

L: Estupendo. ¿Quedamos mejor para cenar?

C: De acuerdo. ¿Conocéis Gijón?

L: No. Es la primera vez que venimos.

C: Entonces, os recojo a las nueve en el hotel y os llevo al Parador para que probéis la auténtica cocina asturiana.

L: De acuerdo. A las nueve aquí.

C: ¡Hasta luego!

3.3   Tenemos la tarde libre

COMPRENSIÓN AUDITIVA

1. Escuche y siga las instrucciones con el plano para ir desde el hotel hasta la oficina de turismo.

Lozano: Perdone. ¿Puede darnos un plano de la ciudad?

Conserje: Sólo tenemos planos del centro, pero en la oficina de turismo les dan otro más completo.

L: ¿Está lejos la oficina de turismo?

C: No. Está bastante cerca. Unos diez minutos andando.

L: ¿Nos lo puede indicar en el plano?

C: El hotel está aquí … Al salir del hotel, giren a la derecha hasta llegar a la calle de Begoña. Después, tuerzan a la izquierda y sigan todo recto hasta la calle Jovellanos … Continúen por esa calle en dirección a la playa y allí está la oficina de turismo.

L: Muy amable. Gracias.

2.- Escuche y complete las indicaciones para hacer una visita rápida a la ciudad.

Lozano: ¡Hola! ¿Nos puede proporcionar un plano e información sobre la ciudad?

Señorita: Aquí tienen el plano y varios folletos con los lugares de interés, ocio y actividades culturales.

L: ¿Qué es lo que hay que ver?

S: Muchas cosas. ¿Cuánto tiempo van a estar?

L: Esta tarde solamente.

S: Miren … la playa de enfrente es la de San Lorenzo. Si siguen por este paseo, llegan a la Plaza Mayor … Aquí está el Ayuntamiento y el Palacio de Revillagigedo. A la izquierda, están las antiguas murallas y la iglesia de San Pedro. También pueden subir al Cerro de Santa Catalina que tiene unas magníficas vistas al Cantábrico.

L: ¿Qué zona nos sugiere para ir a comer?

S: Por la plaza Mayor hay muchos restaurantes y, también, cerca del puerto.

L: ¿Y para ir a los astilleros?

S: Están al otro lado de la playa de poniente, pero pueden coger un taxi.

L: Muchas gracias. Muy amable.

4. Escuche el diálogo en el restaurante y señale las comidas y bebidas que oiga.

Camarero: Buenas tardes. ¿Qué van a tomar los señores?

María Osuna: ¿Qué nos sugiere usted?

C: Nuestra especialidad es la merluza a la sidra, la ensalada de bonito y el besugo. Y, naturalmente, la fabada.

Lozano: ¿Y de carne?

C: Tenemos chuletón de buey … carnes rojas a la parrilla …

M.O.: ¿No te gusta el pescado?

L: A mediodía prefiero tomar carne. ¿Qué vas a pedir tú?

M.O.: Para mí, de primero una menestra de verduras. Y, después merluza a la sidra.

C: ¿Y para el señor?

L: Pues…. Fabada para empezar, y … ¿cómo es el entrecot al cabrales?

C: Es a la plancha, con una salsa de queso de cabrales.

L: Muy bien, traigame eso.

C: ¿Y para beber?

L: ¿Qué vino nos recomienda?

C: Tenemos un tinto de Rueda muy bueno…

L: Bien, y agua mineral.

Unidad 4
VISITA DE NEGOCIOS

4.1   Primer contacto

COMPRENSIÓN AUDITIVA

1.   Escuche los diálogos e indique la respuesta correcta.

Recepcionista:	Hola, buenos días.
Sra. Oliveri:	Buenos días. Me llamo Estela Oliveri y tengo una cita con el Señor Herrera.
R:	El señor Herrera está en una reunión hasta las once.
O:	En realidad me citó a las once pero yo he venido un poco antes.
R:	Quiere sentarse, por favor?
O:	Gracias.
R:	¿Le apetece un café?
O:	No. Muchas gracias.

(Música)

Sr. Herrera:	Ana, ¿está ya la señora Oliveri?
R:	Sí. Ya está aquí.
H:	Acompáñela a mi despacho, por favor.
R:	Señora Oliveri, ¿tiene la bondad de acompañarme?
H:	Buenos días, señora Oliveri. Encantado de conocerla.
O:	Mucho gusto.
H:	Siéntese, por favor. ¿Es ésta la primera vez que visita nuestro país?
O:	Bueno … el año pasado estuve en Mallorca, pero ésta es la primera vez que vengo a Madrid. Es una ciudad muy agradable.
H:	Muchas gracias. ¿Puedo ofrecerle un café o un refresco?
O:	Un café, por favor.
H:	Perdone un momento. Ana … ¿Nos trae dos cafés, por favor? En primer lugar, quiero agradecerle su visita.
O:	Las novedades que presentaron en la feria del calzado de Milán parecían muy atractivas e interesantes para nuestros clientes. Por eso, decidí aceptar la invitación para visitar la fábrica.
H:	Pues me alegro mucho de su decisión.

4.2   Las nuevas instalaciones

COMPRENSIÓN AUDITIVA

1.   Escuche la distribución de los dos edificios y anote en el plano el número correspondiente a las instalaciones y despachos.

Me llamo Antonio Tolosa y tengo el gusto de darles la bienvenida a nuestra empresa.
En este plano podemos ver las instalaciones de nuestra empresa.
En la planta baja del edificio antiguo, a la izquierda, se instaló la sala de exposiciones. En la

primera planta, en el centro, está el salón de actos; a la derecha, queda la biblioteca y, a continuación, una pequeña sala para videoconferencias.

La segunda planta está ocupada por la cafetería para el personal y la tercera planta, de momento, permanece vacía.

En el otro lado, podemos ver la distribución del edificio que se inauguró el mes pasado. Ahora nos encontramos en la zona de recepción de la planta baja. Detrás se encuentra el almacén. La sala de reprografía queda al lado del almacén y, enfrente de la recepción, está la sala de visitas. ¿Cómo? ¿El servicio de caballeros? Ahí, entre los ascensores y reprografía.

En la primera planta, tenemos la sala de Juntas principal y algunos Departamentos. Los despachos del Director General y de otros Directores están en la segunda planta.

2. Escuche las instrucciones de la recepcionista y complete la distribución de los despachos.

– ¿El Departamento de recursos Humanos? Está en la primera planta, enfrente de las escaleras y al lado de la sala de Juntas.

– Los despachos del Director General y del Director Financiero están en la segunda planta, enfrente de las escaleras ... a la izquierda.

– No, contabilidad está en la primera planta, al lado de Recursos Humanos.

– El comedor de invitados y una cocina se instaló en la tercera planta.

– Investigación y Desarrollo está en la segunda planta, a la derecha de la terraza. El despacho que está al lado de I+D es Marketing e, inmediatamente, está la Dirección de Exportación.

4.3   Organización de la empresa

COMPRENSIÓN AUDITIVA

2. Escuche la presentación de la empresa y rellene el organigrama.

Buenas tardes. Me llamo Sol González y me dirijo a ustedes para presentarles la organización de la empresa EUROTEXTIL, después de la fusión con TEXTIL IBÉRICA.

En la Junta de la semana pasada se nombró a Antonio Mora Director General. Próximamente, les comunicaremos el nombre del Director de Coordinación Estratégica.

Aquí debajo podemos ver las cinco direcciones de las que son responsables, respectivamente, Jorge Puyol, de la de Administración; Monique Dupont, de la de Personal. Jesús Blanco sigue como Director Financiero. La Dirección de Producción quedó encomendada a Javier Puente y se nombró a Elena Barberá responsable del Departamento de Marketing.

Como pueden ver, las secciones de Administración General y de Informática dependen del Departamento de Administración. También se acordaron otros cambios: El Departamento de Personal pasa a denominarse de Recursos Humanos. A la Dirección de Producción, además de las secciones de Almacén, Fábrica y Compras, se incorporan las de Investigación y Desarrollo. Finalmente vemos el Departamento de Marketing del que dependen Publicidad, Investigación de Mercados, Distribución, Ventas y Servicio Posventa.

Creo que eso es todo. Si desean hacerme alguna pregunta, les informaré con mucho gusto.

Unidad 5
UN DÍA DE TRABAJO

5.1   El día a día

COMPRENSIÓN AUDITIVA

1. Escuche la descripción de un día de trabajo del Sr. Villalba y compruebe las anotaciones de la agenda.

Normalmente, cuando no estoy de viaje, llego a las ocho a la oficina y leo la prensa o reviso el correo. Después, repaso con mi secretaria los compromisos del día. Generalmente, tengo cuatro o cinco entrevistas con clientes. También tengo que hacer varias llamadas de teléfono y asistir a reuniones profesionales. A última hora de la tarde, firmo la correspondencia y tengo una reunión informal con el personal de mi Departamento. Ahora, estoy preparando un informe sobre EXPOCONSUMO, la feria de la que acabo de regresar.

5.2   Estamos creciendo

COMPRENSIÓN AUDITIVA

1. Observe las ilustraciones e indique el orden en que se mencionan los siguientes bienes de consumo.

2. Escuche de nuevo la grabación y elija la respuesta correcta.

Según el informe que estoy leyendo sobre EXPOCONSUMO, la feria que se acaba de celebrar en Tokio y en la que han participado más de trescientas firmas españolas, España exporta a Japón automóviles y pescado fresco o congelado, pero, en este momento, destaca el crecimiento de ventas de otros bienes de consumo.
Los sectores que están entrando con más fuerza en el mercado nipón son los de la moda, azulejos, muebles, vino y aceite de oliva. Concretamente, la exportación española de artículos de confección se ha duplicado y algunas empresas mallorquinas llevan encabezando las ventas de calzado en Japón desde 1993.
Creo que esta tendencia es muy interesante para nuestros planes de expansión y para la comercialización de nuestros productos de ese país.

5.3   Encuentro con un amigo

COMPRENSIÓN AUDITIVA

1. Escuche la primera conversación y señale las expresiones que oiga.

Manuel Bueno: Manuel Bueno al habla.
Gonzalo Guzmán: Hola, Manolo. Soy Gonzalo.
M: ¡Gonzalo! ¿Cómo te va?
G: Muy bien. Acabo de llegar de Tokio.
M: ¿Y qué tal la Feria de Exportadores?
G: Muy interesante y positiva. De eso quiero hablarte. ¿Nos podemos ver esta tarde?
M: Déjame ver mi agenda ... ¿Te viene bien a las ocho?

G: Sí, sí. Muy bien. ¿Quedamos en la cafetería del Palace?

M: De acuerdo. A las ocho, en el Hotel Palace.

G: Hasta luego.

2. Escuche la segunda conversación y conteste:

Gonzalo Guzmán: Siento llegar tarde, pero es que el tráfico está imposible.

Manuel Bueno: No te preocupes. Yo acabo de llegar también.

G: ¿Qué estás tomando?

M: Un Jerez seco.

G: Yo voy a tomar una cerveza ... Camarero, una cerveza fría, por favor.

Camarero: Ahora mismo, señor.

M: ¿Qué tal tu mujer y tus hijos?

G: Muy bien. Mi mujer estupendamente y los niños, ya sabes, creciendo (se rien). ¿Y tu familia?

M: Bien, también. Bueno, cuéntame de tu viaje a Japón.

G: Pues... Muy interesante.
Precisamente estamos pensando en introducir nuestros vinos en el mercado japonés y quiero saber tu opinión.

M: Me parece un momento excelente. Los vinos españoles, y especialmente los blancos, están teniendo una magnífica aceptación.

Unidad 6
ACUERDOS

6.1   Tenemos que vernos

COMPRENSIÓN AUDITIVA

1. Escuche la conversación telefónica y señale los términos que oiga.

Carlos: ¿Antonio?

Antonio: Hola, Carlos. ¿Qué tal va el folleto?

C: Por eso te llamo. Mira, mañana voy a llevar el programa de verano a la imprenta y tengo algunas dudas.

A: ¿Te las puedo aclarar ahora, por teléfono, o tengo que verte?

C: Bueno ... el texto está ya corregido, pero tengo que comprobar los precios y las fechas de salida.

A: ¿Y tienes las fotos?

C: Sí, claro. Tengo las ilustraciones y varias fotografías para cada itinerario.

A: ¿Cuál es el problema, entonces?

C: Elegir las fotografías más convenientes. Tienes que elegirlas tú.

A: De acuerdo. Pero tendrá que ser hoy porque necesito el folleto antes del 1 de marzo.

C: ¡Tranquilo! Estará a finales de febrero.

A: Vamos a ver ... Esta tarde voy a ir a una presentación a las ocho .... Así que tenemos que quedar antes . ¿Te viene bien a las cinco?

C: Perfectamente. A las cinco en punto estoy en tu oficina.

Grabación

6.2   Telefonéame

COMPRENSIÓN AUDITIVA

1. Escuche y tome notas de los mensajes grabados en el contestador.

a)
"Le habla el contestador automático de HESPERIA S.A., en este momento no podemos atenderle. Deje su nombre, número de teléfono y el mensaje, y le llamaremos lo antes posible. Muchas gracias."

"El mensaje es para el señor Da Silva.
Soy Federico Flores, de HISPAX. Mi teléfono es 91 3 58 90 82. Contacte conmigo. Gracias."

b)
"Éste es el contestador de IBERTEL. Nuestro horario de oficina es de 8 de la mañana a 6 de la tarde. Ahora no podemos atenderle. Por favor, deje su mensaje después de la señal y le llamaremos mañana. Disculpen las molestias."

"Soy Julia Lawrence, de PARKING Group.
Deseo hablar con el señor Romero. Estoy en el Hotel PALACE, habitación 1001.
Espero su llamada de 9 a 10 de la mañana. Gracias."

c)
"Has llamado al 547 40 40 de Barcelona.
Ahora no estoy en casa. Deja tu mensaje y te llamaré."

"Francisco ... Soy Álvaro. Tenemos que hablar de tu contrato de colaboración.
Telefonéame, por favor. Estaré en casa hasta las diez y media. Hasta luego."

6.3   La cita

COMPRENSIÓN AUDITIVA

1. Escuche la conversación y complete las fichas.

a)
¿Señor Muñoz? Hola, buenos días. Soy la secretaria de la señora Delony, de CONSULTORES Asociados: Le llamo para cancelar su cita con la señora Delony. Ella no podrá asistir a la reunión de esta tarde porque tuvo que salir de viaje ayer.

b)
Elena Pinilla:	¿Podría hablar con el señor Puerto, por favor?
Manuel Puerto:	Manuel Puerto al habla. Dígame.
E.P.:	Buenos días. Soy Elena Pinilla. Le llamo para concertar una entrevista.
M.P.:	¡Ah, sí! ¿Cuándo podrá venir a Madrid?
E.P.:	Voy a ir la semana próxima.
M.P.:	Podemos quedar para el martes. ¿Le parece bien?
E.P.:	¿El martes día 15? Sí, muy bien. ¿A qué hora?
M.P.:	Por la mañana a las once.
E.P.:	De acuerdo. El martes 15, a las 11 de la mañana. Encantada de saludarle.

113

c)

Elena Pinilla:	¿Me pone con el señor Puerto, por favor?
Secretaria:	El señor Puerto está en una reunión. ¿Quiere dejarle algún mensaje?
E.P.:	Sí. Soy Elena Pinilla. Dígale que tendremos que posponer nuestra entrevista porque no podré viajar a Madrid en la fecha prevista.
S:	Muy bien. Muchas gracias por llamar.

Unidad 7
HACEMOS UN BUEN TRABAJO

7.1   Nuestros productos

COMPRENSIÓN AUDITIVA

1. Escuche la presentación del catálogo y numere las máquinas de oficina en el orden que las describen.

    Les presentamos nuestro catálogo con las novedades en máquinas de oficina. Aquí encontrará una selección de artículos de alta calidad que le permitirán trabajar de forma más fácil, cómoda y económica.

    1. Las rotuladoras le ayudarán a imprimir etiquetas con letras de diferentes tamaños y estilos.

    2. El pesacartas digital funciona con tres pilas de 1,5 voltios. Diámetro de la plataforma: 124 milímetros. Pesaje máximo: 2 kilos.

    3. El retroproyector CORI es portátil, ligero y extraplano. Pesa 7 kilos. Medidas: 120 x 440 x 310 milímetros.

    4. Las nuevas destructoras de documentos son más fáciles de manejar. Tenemos diversos modelos, desde las pequeñas unidades de sobremesa hastas las de gran volumen.

    5. El nuevo modelo de encuadernadora, de metal y plástico rígido, perfora hasta doce hojas a la vez. Peso: 5 kilos. Dimensiones: 410 x 340 x 330 milímetros.

7.2   Un producto de calidad

COMPRENSIÓN AUDITIVA

1.- Escuche las conversaciones para comprobar las relaciones entre los mensajes publicitarios y los productos.

    1. Creo que con la hipoteca a un interés variable que le ofrece nuestro banco, el primer año pagará menos de lo que se imagina.

    2. Estamos seguros de que le ofrecemos la fórmula más rentable para su empresa. Las nuevas tecnologías de la información presentan muchas ventajas para una mejor comunicación.

    3. A mi juicio este teléfono es el más pequeño y ligero del mercado.

    4. Estamos plenamente de acuerdo sobre el automóvil que te has comprado. En diesel no hay nada mejor.

    5. No, no estoy de acuerdo. A mí me parece que este perfume es algo más. Es más concentrado, más fresco, más personal. Es … MÁS.

    6. – ¿Qué opinas del dentífrico con extracto de papaya?
       – No puedo darte mi opinión porque no lo he usado.

7.3   Somos competitivos

COMPRENSIÓN AUDITIVA

1.   Escuche dos veces la grabación y rellene los huecos del texto.

¡Mejore la imagen de su empresa con obsequios navideños de exclusivo diseño!

Nuestra empresa lidera el mercado de regalos en la Unión Europea; un mercado que representó el año pasado un negocio de ochenta y cinco mil millones de pesetas.

Solamente una empresa líder como la nuestra les puede ofrecer los mejores productos a los precios más competitivos.

Tenemos regalos para todos los gustos y presupuestos.

En nuestro catálogo usted puede elegir entre diferentes líneas de productos cuyos precios oscilan entre las cinco mil y las cincuenta mil pesetas. Puede elegir su regalo personalizado de coste superior para altos directivos y clientes importantes: relojes y plumas estilográficas de marca, agendas y carteras de piel o complementos exclusivos.

Por un precio en torno a las quince mil pesetas puede encontrar cajas de vinos y de cavas selectos. Pero si desea hacer un regalo original adquiera una de las reproducciones de artesanía popular que le ofrecemos a precios muy razonables.

¡Visite nuestra exposición!

Unidad 8
LAS COSAS MARCHAN

8.1   Una vida de trabajo

COMPRENSIÓN AUDITIVA

1.   Escuche la descripción de una carrera profesional y señale los trabajos que se mencionan.

Clara Bernal es actualmente la Directora de Marketing de una empresa sueca. De 1980 a 1985 cursó la carrera de Ciencias Empresariales. Después obtuvo la Diplomatura de Comercio Exterior. Desde 1986 hasta 1987 amplió estudios en las universidades de Viena y Arizona. Tiene, además, un Máster en Marketing y Comunicación.

En 1987 se incorporó como adjunta a la Dirección Comercial de NORDIA Comunicación. Anteriormente, hizo prácticas en los Departamentos de Comercialización y de Comunicación del Banco ALTER.

Desde octubre de 1982 hasta junio de 1984 estuvo trabajando como auxiliar administrativo en el Departamento de Contabilidad de la multinacional UNICRIS, donde adquirió un gran conocimiento sobre organización y administración de empresas.

En el período comprendido entre el 1 de julio de 1982 al 30 de septiembre de 1982 recorrió Europa trabajando como guía de turismo.

En 1981 trabajó como secretaria en la empresa *Papelera del Norte S.A.* En el verano de 1980 trabajó como dependienta de una tienda de regalos.

8.2   Una casa a estrenar

COMPRENSIÓN AUDITIVA

1.   Escuche la información sobre las viviendas y complete los datos de cada una.

En este momento tenemos en promoción dos urbanizaciones: Residencial Hispania y Atlántida.

Los pisos de Residencial Hispania están situados en una zona ajardinada con piscina. Las viviendas, con una superficie de 104,89 m2 construidos, tienen tres dormitorios, dos cuartos de baño, salón-comedor y cocina lavadero. La plaza de garaje es opcional. La entrega de llaves está prevista para finales del año 2001. El precio de estas viviendas es de 24.400.000 pesetas y las condiciones de pago son 2.440.000 pesetas (14.664,49 euros) al firmar el contrato, 14 letras de 174.286 pesetas (1.047,47 euros); 1.220.000 pesetas a la entrega de llaves y 18.300.000 pesetas (109.985,21 euros) en efectivo o mediante un préstamo hipotecario que puede tramitar el comprador.

Atlántida es una urbanización cerrada, con amplia zona ajardinada y piscina. Las viviendas de uno y de dos dormitorios están ya todas vendidas. Los pisos de tres dormitorios, dos cuartos de baño, salón-comedor con terraza y cocina, tienen una superficie de 115 m^2. El garaje y el trastero están incluidos en el precio de 29 millones. La entrega de llaves será en mayo de 2001. Las condiciones de pago son: el 5% cuando se hace la reserva, el 10% a la firma del contrato y el 5% aplazado, 1.601.663 pesetas (9.616,19 euros) en efectivo en el momento de la entrega de llaves y el resto mediante hipoteca.

8.3   Una pequeña empresa

COMPRENSIÓN AUDITIVA

1.   Escuche la historia y los planes de la empresa y complete la ficha.

La aventura de la pequeña empresa familiar de los hermanos Blanco comenzó hace cincuenta años en una tienda de comestibles de Logroño. En la actualidad, la familia Blanco dirige el grupo Blanco S.A., la primera industria conservera de hortalizas y verduras de Europa.
Blanco S.A. tiene tres fábricas en España, dos en Italia y una en Portugal, y, debido a la demanda, están estudiando la posibilidad de instalarse en varios países latinoamericanos.

Las claves de su crecimiento son:
- El control de todo el proceso de fabricación (producción, fabricación de latas y enlatado del producto).
- Un riguroso control de calidad en todas las fases de la producción.
- Utilización de tecnología punta.
- Aplicación de las más avanzadas técnicas de marketing.
- Espíritu innovador.

El año pasado, el grupo obtuvo unos beneficios de mil ochocientos millones de pesetas, con unas ventas de treinta mil millones de pesetas.

2.   Escuche atentamente los planes de la empresa y anote:

Los objetivos del grupo para los próximos años son: consolidar el liderazgo en Europa y entrar en el mercado americano. Sus planes de futuro persiguen incrementar las exportaciones y duplicar la rentabilidad, con inversiones superiores a los diez mil millones y hacer una reestructuración para aligerar los gastos fijos.

Unidad 9
HAY QUE PLANTEARSE EL FUTURO

9.1 Quién decide puede equivocarse

COMPRENSIÓN AUDITIVA

1. Escuche la información sobre los planes de la empresa y conteste las preguntas.

En nombre de la empresa les confirmo que dentro de tres meses vamos a trasladarnos a nuestras nuevas instalaciones en el Parque Empresarial de Las Rozas. También tengo que comunicarles que, debido a un cambio de planes, solamente permanecerá en Madrid la dirección comercial.

El parque empresarial, como todos ustedes saben, está a 10 kilómetros de Madrid, bien comunicado por autopista y por ferrocarril. El nuevo edificio tiene cuatro plantas de oficinas y una de garaje, con capacidad para 100 coches. Las oficinas contarán con los sistemas más modernos de telecomunicaciones y de seguridad y dispondrán de una completa infraestructura de servicios para optimizar las actividades de la empresa y satisfacer las necesidades del personal.

La próxima semana vamos a constituir el comité que se encargará de planificar el traslado y de distribuir los espacios, así como del equipamiento del nuevo edificio.

La Dirección pide disculpas por las molestias y espera que el traslado no cause demasiados problemas.

9.2 Tenemos que pedir disculpas

COMPRENSIÓN AUDITIVA

1. Escuche los mensajes y conteste verdadero o falso.

a) De: Director de Recursos Humanos
A: Jefe de Almacén
Lamento tener que informarle que no podemos atender su petición de más personal.

b) Acusamos recibo de su pedido de 20 ordenadores COM, modelo PX 2000. En este momento, solamente podemos servirle 15 unidades. Rogamos acepten nuestras disculpas.

c) Le habla el contestador automático de BENESA.
Debido al traslado de nuestras oficinas. No podemos atenderle hasta la semana próxima.

d) – Les llamo de PENTA, en Lisboa. No tenemos su catálogo de primavera.
– No se preocupe. Podemos enviarlo hoy mismo.

e) Aceptamos sus disculpas por el retraso en la entrega de nuestro pedido. Sin embargo, no hemos recibido contestación a nuestra reclamación por el material defectuoso que nos enviaron el mes pasado.

9.3 Planes de futuro

COMPRENSIÓN AUDITIVA

1. Escuche la discusión sobre las necesidades de personal y señale las fórmulas que utilicen para expresar opinión.

Antonio: El objetivo de la reunión de hoy es tomar una decisión sobre el personal que vamos a necesitar para nuestro proyecto de empresa. Estoy convencido de que el éxito de este proyecto depende de una buena gestión de la información. Por tanto, a mi juicio, vamos a necesitar un experto en Internet. ¿Estáis de acuerdo ?

Susana: Estoy totalmente de acuerdo.

Jorge: Yo también. Creo que es fundamental.

Antonio: Bien, entonces, tenemos dos posibilidades: formar a alguno de nuestros empleados a contratar a un experto.

Jorge: A mí me parece que debemos formar a alguien de la empresa.

Susana: No estoy de acuerdo. La formación implica tiempo y una intervención económica. Además, probablemente tendríamos que cubrir ese puesto con otro empleado.

Antonio: Personalmente, creo que es mejor contratar a alguien.

Jorge: En ese caso, solamente nos queda la opción de contratar a un especialista.

Antonio: Entonces, estamos de acuerdo los tres. Susana ¿Te puedes encargar de redactar la oferta de empleo?

Susana: Claro, por supuesto.

Unidad 10
SOMOS MUCHOS TRABAJANDO

10.1   Hay que adaptarse al mercado

COMPRENSIÓN AUDITIVA

1.   Escuche la entrevista y subraye los errores del texto.

Nuestro programa dedicado a la empresa exportadora, ha entrevistado a Sandra Barton. La señora Barton es la responsable de compras de una de las cadenas de alimentación más importantes del Reino Unido.

Locutor:	Señora Barton, ¿podría decirnos por qué han decidido incluir productos españoles en su oferta?
Señora Barton:	Quizas … la razón principal ha sido que hemos percibido el interés del consumidor británico por estos productos que conocía y apreciaba, pero que no encontraba aquí.
Locutor:	Entonces, ¿qué consejo daría usted a nuestros exportadores?
S.B.:	El exportador debería ser más agresivo, viajar más al Reino Unido y facilitar información sobre sus productos. ¡Ah!, y hay que adaptare al mercado ….
Locutor:	Desde su punto de vista, ¿qué productos tendrían más posibilidades en este mercado?
S.B.:	Todos los que tengan una buena relación calidad/precio y, probablemente, los que sean más originales.
Locutor:	Finalmente, ¿qué sugeriría a los exportadores que deseen ponerse en contacto con ustedes?
S.B.:	La forma más fácil es enviar una carta al jefe del departamento de compras, remitiendo muestras y la lista de precios.
Locutor:	Muchas gracias por sus consejos y sugerencias, señora Barton.

10.2   Nuestro puesto de trabajo

COMPRENSIÓN AUDITIVA

1. Escuche la descripción de la oferta de trabajo y elija el anuncio correspondiente.

    Nuestra empresa precisa para Madrid COMERCIALES.
    Pensamos en profesionales orientados a la venta y con gran capacidad de trabajo.

Requisitos:	- Experiencia en ventas. - Incorporación inmediata. - Edad mínima: 28 años.
Ofrecemos:	- Integración en un equipo de ventas consolidado. - Contrato indefinido. - Interesante retribución económica y otras ventajas.
Valoramos:	- Formación universitaria. - Conocimientos profesionales del candidato.

2. Relacione cada uno de los anuncios con el eslogan de la empresa correspondiente.

    a) En cualquier parte del mundo, hacemos oír su voz.
    b) Navegue con nosotros a toda velocidad.
    c) Su buena fama es nuestra mejor publicidad.
    d) Su seguridad es nuestra razón de ser.
    c) Nuestra deseo de hacer su vida confortable no tiene techo.

10.3   Necesitamos más gente; la entrevista de trabajo

COMPRENSIÓN AUDITIVA

1. Escuche y tome notas para completar la ficha.

    Somos un gran equipo y queremos ser más.
    DATABLA es una empreaa de servicios de informática que desarrolla su
    actividad en el Sector de las tecnologías de la información y la comunicación.
    Somos un equipo de más de 600 profesionales comprometidos con nuestro trabajo. Tenemos
    oficinas en Barcelona, Madrid, Sevilla y Valencia.
    Desarrollamos proyectos de consultoría informática y gestión empresarial.
    Somos una sólida organización en continua evolución.

NO NECESITAMOS:	- Profesionales sin aspiraciones. - Directivos sin ideas. - Gente sin ilusiones. - Vendedores de proyectos imposibles. - Reír los chistes del jefe.
SÍ NECESITAMOS:	- Profesionales ilusionados. - Directivos capaces de generar negocios. - Técnicos con experiencia. - Expertos en sistemas de información. - Hombres y mujeres con ganas de trabajar bien.

    Si estás interesado envía tu C.V. por correo electrónico a: BEBEL@ datable.es

Glosario

A

Spanish		English
abierto/a	2	open
abogado, el	1	lawyer
abrazo, el	5	hug
abrigo, el	4	coat
abril	6	April
abrir	4	open, to
absurdo/a	8	absurd
acabado/a	3	finished
académico/a	8	academic
acceder	7	access, to/agree, to
accidente, el	9	accident
acción, la	10	action
accionista, el, la	6	shareholder
aceite, el	3	oil
aceptar	4	accept, to
acompañar	3	accompany, to
actividad, la	1	activity
activo, el	1	asset
acudir	6	attend, to
acuerdo, el	4	agreement
acusar recibo	9	acknowledge receipt, to
adelantar	3	bring forward, to
además	3	furthermore
adjunto/a, el la	8	assistant/deputy
administrativo/a, el, la	4	clerk
admitir	2	admit, to
adoptar	10	adopt, to
adosado/a	8	terraced
aéreo/a	7	air
aeropuerto, el	6	airport
afectar	9	affect, to
afición, la	8	hobby
agencia de viajes, la	3	travel agency
agenda, la	2	agenda/diary
agosto	2	August
agradecer	2	thank, to
agresivo/a	10	aggressive
agricultura, la	4	agriculture
agua, el	3	water
ahorrar	7	save, to
alemán/ana	8	German
alergia, la	9	allergy
alimentación, la	5	food
almacén, el	4	warehouse
almorzar	3	have lunch, to
alojar(se)	4	stay (at), to
alquilar	2	rent, to/ to let
alquiler, el	8	renting / leasing
alrededor	3	around
alternativa, la	9	alternative
alto/a	7	tall/high
amable	3	kind
ambición	3	ambition
ambiente, el	9	atmosphere
ámbito, el	8	scope
amigo/a, el, la	1	friend
amistad, la	5	friendship
amor, el	3	love
amueblado/a	8	furnished
animal, el	1	animal
ánimo, el	10	intention/mind
anoche	4	last night
antepasado/a, el, la	4	ancestor
antes	1	before
anticipado/a	7	advanced
antiguo/a	3	old
anunciar	2	announce/advertise, to
año, el	4	year
aparcamiento, el	8	car park
apartamento, el	6	apartment
apasionado/a	1	passionately fond (of)
apellido, el	1	surname
aplazar	8	defer, to
aprender	5	learn, to
aprobar	9	approve, to
arancel, el	1	customs duties
archivador, el	4	filing cabinet
archivar	2	file, to
argentino/a	1	Argentinian
armazón, el	3	frame(work)
arrendamiento, el	8	renting / leasing
arroz, el	3	rice
artesanía, la	7	craftsmanship
asado/a	3	roast
asamblea, la	5	assembly/meeting
ascensor, el	2	lift
aseo, el	8	toilet
asiento, el	4	seat
asistencia, la	8	assistance/attendance/ people present
asistir	2	find out, to
aspiración,la	10	aspiration
asumir	10	assume, to/take on, to
atención, la	10	attention
atender	9	attend (to), to
aterrizar	6	land, to
atrasar	3	delay/put back, to
audiovisual	1	audio-visual
aula, el	10	classroom
aumentar	5	increase, to
aumento, el	7	increase
autoempleo, el	8	self-employment
automovil, el	4	car
autónomo/a	8	self-employed
auxiliar, el, la	8	assistant
avanzar	8	advance, to
aventura, la	8	adventure
averiguar	2	investigate, to
avícola	4	poultry (adj.)
avión, el	1	aeroplane
avisar	6	advise, to/warn, to
ayer	4	yesterday
ayuda, la	8	help
ayudar	1	help, to
ayuntamiento, el	3	town/city council
azafata, la	2	air hostess
azul	2	blue
azulejo, el	5	tile

B

Spanish		English
bacalao, el	3	cod
bajo/a	1	low
balance, el	6	balance sheet
balón, el	5	ball
banco, el	3	bank
baño, el	8	bath
bar, el	3	bar
barco, el	3	ship
bastante	2	enough/a fair amount of

Spanish	Unit	English
batería, la	7	battery
beber	1	drink, to
bebida, la	4	drink
belleza, la	7	beauty
beneficio, el	8	profit
besugo, el	3	red bream
biblioteca, la	3	library
bicicleta, la	3	bicycle
bien	1	well
bienes de consumo, los	5	consumer goods
bienes de equipo, los	5	capital goods
bienvenida, la	3	welcome
billete, el	2	ticket
blanco/a	7	white
bolsa/o, la, el	3	bag
bono, el	3	voucher
brasileño/a	1	Brazilian
británico/a	1	British
bueno/a	1	good
bufete, el	8	law firm
buhardilla, la	8	attic
búsqueda, la	8	search

C

Spanish	Unit	English
cabeza, la	4	head
cadena de montaje, la	4	assembly chain
café, el	2	coffee
cafetería, la	3	cafeteria
caja fuerte, la	4	safe
calamar, el	3	squid
calculadora, la	7	calculator
calendario, el	4	calendar
calidad, la	1	quality
calle, la	3	street
calzado, el	5	footwear
cambiar	2	change, to
camión, el	5	truck
campo, el	1	country
canadiense	1	Canadian
canal, el	10	channel
cancelar	6	cancel, to
candidato/a, el, la	10	candidate
cantidad, la	5	quantity
capacidad, la	7	capacity
capaz	7	capable
capítulo, el	3	chapter
característica, la	7	characteristic
cargo, el	1	post
cariño, el	3	affection
carnet de identidad, el	2	identity card
caro/a	7	expensive
carrera, la	1	degree (course)
carta, la	1	letter/menu
casa, la	1	house
catálogo, el	7	catalogue
catedral, la	3	cathedral
categoría, la	2	category
causa, la	9	cause
cava, el	7	Spanish sparkling wine
celebrar	5	hold, to
cena, la	2	dinner
cenar	1	have dinner, to
cenicero, el	5	ashtray
centímetro, el	7	centimetre
central	3	central

Spanish	Unit	English
centrar(se)	10	concentrate, to
centro comercial, el	8	shopping centre
centro de salud	8	health centre
centro escolar, el	8	school
centro, el	2	centre
cerca	3	near
cercano/a	10	nearby
cereal, el	4	cereal
cerrar	4	close, to
cerro, el	3	hill
cerveza, la	3	beer
chalet, el	8	detached house
champaña, el	7	champagne
charla, la	10	talk
cheque, el	4	cheque
chuletón, el	3	large steak
cifra, la	8	figure
cine, el	1	cinema
cita, la	3	appointment
citar	2	make an appointment (with), to
ciudad, la	3	city
clase, la	2	class
clave, la	8	key
cliente/a, el, la	2	client
cobrar	4	cash, to
coche, el	1	car
cocina, la	8	cuisine/kitchen
coger	2	catch/take, to
colaboración, la	2	collaboration
colaborador/a, el, la	5	collaborator
colegio, el	4	school
comedor, el	8	dining room
comentar	5	discuss, to
comer	1	eat, to
comercial	4	commercial
comestible, el	8	food
cometer	5	commit, to
cómodo/a	7	comfortable
compañero/a, el, la	1	classmate
compañía, la	4	company
compartir	7	share, to
competencia, la	9	competition
competitivo/a	7	competitive
complemento, el	7	complement
completar	3	complete, to
compositor/ora, el, la	10	composer
comprar	1	buy, to
comprobar	6	check, to
comunicaciones, las	4	communications
comunicar	3	be engaged, to
conceder	6	grant, to
concertar	4	arrange, to
concierto, el	1	concert
concordar	10	agree, to
condiciones, las	4	conditions
conducir	8	drive, to/lead, to
conferencia, la	4	conference
confianza, la	1	confidence/trust
confiar	7	trust, to
confirmar	3	confirm, to
congelado/a	5	frozen
conocer(se)	1	meet, to
conocimiento, el	10	knowledge
consecuencia, la	9	consequence

conseguir	5	achieve, to
consejo, el	3	board
conserjería, la	3	porter's office
conservar	10	conserve, to/keep, to
conservera	8	canning company
considerar	9	consider, to
consistir	8	consist of, to
constante	5	constant
constitución, la	8	constitution/incorporation (of company)
constructora, la	8	building company
construir	5	build, to
consultoría, la	4	consulting company
consumo, el	7	consumption
contabilidad, la	3	accounting
contable, el, la	5	bookkeeper
contacto, el	3	contact
contenedor, el	5	container
contestación, la	9	reply
continental	2	continental
continente, el	8	continent
contradecir	10	contradict, to
contratación, la	4	hiring
contratar	9	hire, to/contract, to
contrato indefinido, el	10	permanent contract
control de calidad, el	4	quality control
controlar	10	control, to
convencer	1	convince, to
convenio, el	5	agreement
convenir	2	agree (on)/arrange, to
conversación, la	2	conversation
cooperación, la	5	cooperation
cooperativa, la	8	cooperative
coordinación, la	4	coordination
copa, la	2	(alcoholic) drink
copia, la	7	copy
corbata, la	2	tie
corporación, la	8	corporation
corporal	10	bodily
corporativo/a	4	corporate
correo, el	2	mail
cortesía, la	6	courtesy
costar	2	cost, to
crecimiento, el	8	growth
crédito, el	1	credit
crédito hipotecario, el	8	mortgage credit
creer	5	believe, to
crema, la	7	cream
crucigrama, el	1	crossword
cuadrar	6	balance, to
cuarto, el	4	room
cuenta corriente, la	4	current account
cuerpo, el	10	body
cuidar	10	look after, to
culpable	4	culprit
cultivo, el	4	crop
cuota, la	1	share
currículo, el	8	curriculum

D

daño, el	4	damage
dar	2	give, to
dato, el	3	datum
deberes, los	8	homework

decidir	10	decide, to
decir	1	say, to
decisión, la	6	decision
dedicar(se)	4	be engaged (in), to
defectuoso/a	9	defective
defender	10	defend, to
dejar	3	leave, to/stop (doing something), to
demanda, la	5	demand
demasiado/a	1	too much
demora, la	9	delay
demostrar	10	demonstrate
denotar	10	denote, to
dentífrico, el	7	toothpaste
dentista, el, la	3	dentist
dentro	1	inside
departamento, el	1	department
depender	7	depend, to/report (to), to
dependiente/a, el, la	8	shop assistant
deporte, el	1	sport
derecho, el	8	right/law
desarrollo, el	4	development
desayuno, el	2	breakfast
descansar	3	rest, to
descender	5	drop, to
desconfiar	10	mistrust, to
desconocimiento, el	8	ignorance
desear	2	want/wish (to), to
desilusionado/a	10	disappointed
despacho, el	4	office
despedida, la	1	farewell
después	2	after
destino, el	2	destination
destructora, la	7	shredder
detallado/a	2	detailed
determinado/a	7	determined
deuda, la	9	debt
deudor/ora	1	debtor
día, el	1	day
diario, el	1	daily
diccionario, el	5	dictionary
diferente	7	different
difícil	7	difficult
dinero, el	1	money
dirección, la	1	address
directivo/a, el, la	7	manager
director/a, el, la	1	manager
dirigir	3	go, to
disco, el	2	disk/record
discográfico/a	1	record
disculpa, la	9	excuse
disculpar(se)	3	excuse (oneself), to
discurso, el	8	speech
discutir	5	argue, to/discuss, to
diseño, el	4	design
disponer	9	have (available), to
disponibilidad, la	10	availability
distancia, la	9	distance
distribución, la	4	distribution
distribuidora, la	10	distribution company
doble	2	double
documento, el	2	document
domingo, el	6	Sunday
duda, la	6	doubt
duplicar	8	duplicate

duradero/a	5	lasting	
durar	4	last, to	

E

económico/a	1	economical
economista, el, la	1	economist
edificio, el	3	building
educación, la	10	education
efectivo, el	3	cash
elección, la	4	choice
elegir	6	choose, to
embalaje, el	9	packaging
emoción, la	10	emotion
empezar	1	begin, to
empleado/a, el, la	1	employee
empleo, el	5	employment
empresa, la	1	company
empresario/a, el, la	8	entrepreneur
encantado/a	1	delighted
encima	2	on (top of)
encuadernadora, la	7	bookbinder
energía, la	7	energy
enero	6	January
enfrente	1	opposite
enlatar	8	can, to
ensalada, la	3	salad
ensaladilla, la	3	Russian salad
entender(se)	8	understand, to
entidad, la	8	entity
entrecot, el	3	sirloin steak
cntrcga dc llave, la	8	delivery of key
entremeses, los	3	hors d'oeuvres
entrevista, la	1	interview
entrevistador/a, el, la	10	interviewer
enviar	3	send, to
equipaje, el	2	luggage
equipamiento, el	8	equipment
equipo, el	6	equipment
error, el	4	error
escribir	3	write, to
escuchar	1	listen to, to
esforzar(se)	10	make an effort, to
espacio, el	10	space
español/a	1	Spanish
especialización, la	8	specialization
específico/a	3	specific
espectáculo, el	1	show
esperar	1	wait/hope/expect, to
esposo/a, el, la	4	husband/wife
espumoso/a	7	sparkling (wine)
esquiar	1	ski, to
estabilizado/a	5	stabilized
establecer(se)	4	establish (oneself), to
estación, la	3	station
estadounidense	1	American
estancia, la	3	stay
estanco, el	3	tobacconist's
estar	1	be, to
estimado/a	5	estimated/dear (to start a letter)
estrenar	8	to use for the first time
estudiar	1	study, to
estudio de mercado, el	6	market research
estudio, el	8	study, to
etiqueta, la	7	label

euro, el	9	euro
evaluación, la	4	evaluation
exacto/a	9	exact
exceder(se)	10	exceed, to
exclusiva, la	4	sole right
excusa, la	8	excuse
existencias, las	4	stocks
éxito, el	9	success
expectativa, la	9	expectation
experiencia, la	8	experience
experto/a, el, la	9	expert
explicación, la	4	explanation
exportación, la	2	export
exposición, la	1	exhibition
expresar	4	express, to
expresión, la	10	expression
exquisito/a	1	exquisite
extranjero/a	1	foreign

F

fabada, la	3	Spanish bean stew
fábrica, la	1	factory
fabricación, la	4	manufacturing
fabricante, el, la	1	manufacturer
facial	10	facial
fácil	7	easy
factura, la	6	invoice
facturación, la	2	billing
falta, la	8	error/absence
familia, la	3	family
farmacia, la	3	chemist's
fax, el	1	fax
febrero	6	February
fecha, la	2	date
feliz	3	happy
feria, la	4	fair
ficha, la	3	card
fidelidad, la	7	faithfulness
fijación, la	4	fixing
final	3	final
financiación, la	8	financing
financiero/a	4	financial
firmar	2	sign, to
flamenco/a, el, la	1	flamenco
flor, la	3	flower
fluctuar	5	fluctuate, to
fluido/a	10	fluid
folleto, el	6	brochure/leaflet
forma de pago, la	2	form of payment
formación, la	4	training
formal	1	formal
fotocopiadora, la	4	photocopier
fotografía, la	1	photograph
francés/a	1	French
frecuencia, la	5	frequency
fresco/a	5	fresh
fumar	1	smoke, to
funcionar	7	operate, to/work, to
fundar	4	found, to

G

ganadería, la	4	livestock farming
garaje, el	8	garage
garantizar	7	guarantee, to
gastar	2	spend, to

gasto, el	4	expense	industrial	4	industrial
gastronómico/a	7	gastronomic	inestabilidad, la	8	instability
gente, la	1	people	infantil	8	childish/for children
geográfico/a	8	geographical	información, la	2	information
gerente, el, la	10	manager	informal	1	informal
gestión, la	6	management	informático/a	9	computer scientist
gigante	3	giant	informe, el	1	report
gracias	1	thank you	ingeniero/a, el, la	1	engineer
grado, el	10	degree	inglés/a	1	English
gramo, el	7	gram	iniciar	4	start, to
grande	7	large	inicio, el	10	start
granja, la	4	farm	iniverno, el	6	winter
gris	7	grey	inmediato/a	10	immediate
grupo, el	8	group	innovación, la	8	innovation
guía, el, la	8	guide	inseguridad, la	10	insecurity/lack of safety
gustar	2	like, to	insistir	4	insist (on), to
			instalación, la	2	installation (Note: instalaciones = facilities)
H					
habitable	8	habitable	instalar(se)	8	install, to
habitación, la	2	room	instrucción, la	6	instruction
hablar	1	talk/speak, to	integración, la	10	integration
hacer	1	do/make, to	interacción, la	10	interaction
hermano/a, el, la	4	brother/sister	interés variable, el	7	variable interest
herramienta, la	5	tool	interés, el	3	interest
hilatura, la	4	spinning	interesante	1	interesting
hipoteca, la	4	mortgage	interesar	5	interest, to
hispanohablante	9	Spanish speaking	interior	2	inside/interior
historial, el	10	record	intérprete, el, la	8	interpreter
holandés/a	1	Dutch	invadir	10	invade, to
hombro, el	4	shoulder	invalidez, la	1	disablement/invalidity
hora, la	1	hour/time	invernadero, el	4	greenhouse
horario, el	2	timetable	inversión, la	8	investment
hospedar(se)	3	stay (at), to	invierno, el	6	winter
hotel, el	2	hotel	investigación, la	4	investigation
hoy	1	today	invitación, la	10	invitation
huelga, la	9	strike	invitar	2	invite, to
			ir	1	go, to
I			italiano/a	1	Italian
icono, el	7	icon			
ida, la	2	outward journey	**J**		
idea, la	1	idea	jardín, el	3	garden
identificación, la	6	identification	jefe/a, el, la	1	boss/head
iglesia, la	3	church	jubilar(se)	4	retire, to
ilustrar	10	illustrate, to	jugar	1	play, to
imagen, la	7	image	juicio, el	7	judgement/opinion
imaginar	7	imagine, to	julio	2	July
implantación, la	8	implementation/introduction	junio	2	June
implicar	10	involve, to/imply, to	junta, la	3	board
importación, la	2	import	jurídico/a	4	juridical
importancia, la	6	importance			
imposible	5	impossible	**K**		
imprenta, la	3	printing house	kilo, el	7	kilo
imprescindible	6	indispensable			
impresión, la	10	impression/printing	**L**		
imprimir	7	print, to	laboral	8	working (day)/ employment (contract)
impuesto, el	2	tax			
inadecuado/a	8	inappropriate	lado, el	3	side
inclinar	10	incline, to	lamentar	6	regret, to
incluir	2	include, to	lámpara, la	4	lamp
incómodo/a	7	uncomfortable	laser	7	laser
incorporación, la	10	joining (a company, etc.)	lateral	7	lateral
incorrecto/a	9	incorrect	lavadero, el	8	laundry/wash place
incrementar	8	increase, to	lavadora, la	7	washing machine
indicar	2	indicate/state, to	lectura, la	1	reading
individual	2	single	leer	1	read, to

legumbre, la	3	vegetable/legume
lengua, la	1	language
letra de cambio, la	8	bill of exchange
librería, la	4	bookshop
libro, el	7	book
licenciado/a, el, la	1	graduate
licenciatura, la	8	degree
licor, el	3	liqueur
líder, el, la	7	leader
liderar	7	lead, to
liderazgo, el	8	leadership
ligero/a	7	light
limón, el	3	lemon
línea, la	3	line
lista de precios, la	10	price list
llamada, la	2	call
llamar(se)	1	be called, to
llave, la	2	key
llegada, la	3	arrival
llegar	1	arrive, to
llover	4	rain, to
lluvia, la	3	rain
local, el	2	premises
lucir	9	shine, to/
lugar, el	8	place
lujo, el	7	luxury
lunes, el	3	Monday
luz, la	9	light

M

macarrón, el	3	macaroni
madera, la	4	wood
madre, la	1	mother
magnífico/a	3	magnificent
maletero, el	5	boot (of car)
maletín, el	3	briefcase
mano, la	4	hand
mantener	4	maintain, to/hold, to
mantener(se)	5	remain, to
mantenimiento, el	9	maintenance
manzana, la	1	apple
mañana	2	tomorrow
mañana, la	3	morning
máquina, la	7	machine
marca, la	7	trademark/brand
marchar(se)	2	leave, to
marco, el	8	frame(work)
marido, el	1	husband
mármol, el	3	marble
martes, el	3	Tuesday
marzo	3	March
materia prima, la	4	raw material
material, el	9	material
matricular(se)	9	register, to/enrol, to
máximo/a	7	maximum
mayo	2	May
medicina, la	6	medicine
medio de transporte, el	2	means of transport
medio, el	4	means/resource
medir	7	measure, to
mediterráneo/a	1	Mediterranean
mexicana/o	1	Mexican
melocotón, el	3	peach
memorándum, el	5	memorandum

mencionar	7	mention, to
menestra, la	3	vegetable soup
menos	3	less
mensaje, el	3	message
mental	7	mental
mercado, el	4	market
mercancía, la	10	merchandise
merluza, la	3	hake
mes, el	5	month
mesa, la	2	table/desk
metro , el	3	underground
metro cuadrado, el	9	square metre
microondas, el	6	microwave
mientras	8	while
miércoles, el	3	Wednesday
milímetro, el	7	millimetre
millón, el	7	million
minería, la	4	mining
ministerio, el	3	ministry
minuto, el	4	minute
moderar	5	chair, to
moderno/a	1	modern
molestar	3	trouble, to
momento, el	5	moment
moneda, la	1	currency
moqueta, la	9	moquette/(fitted) carpet
mostrador, el	2	counter/desk
mostrar	10	show, to
movimiento, el	10	movement
mucho/a	3	a lot (of)
mueble, el	4	piece of furniture
mujer, la	2	woman
multinacional	8	multinational
muralla, la	3	wall
mus, el	1	mus (Spanish card game)
museo, el	1	museum/art gallery
música, la	1	music
musical	10	musical

N

nacer	5	be born, to
nacimiento, el	8	birth
nacionalidad, la	1	nationality
nadar	1	swim, to
nadie	6	nobody
naranja, la	3	orange
nariz, la	10	nose
natación, la	1	swimming
naturaleza, la	10	nature
navegación, la	9	sailing
navegar	1	sail, to
navideño/a	7	Christmas (adj.)
necesario	6	necessary
necesidad, la	9	need
negar(se)	7	refuse (to), to
negocio, el	1	business
nervioso/a	10	nervous
nivel, el	8	level
noche, la	1	night
nombre, el	1	name
noticia, la	5	(piece of) news
novela, la	1	novel
nuevo/a	1	new
nunca	1	never

O

objetivo, el	4	objective
objeto, el	4	object/purpose
obra, la	7	work
obsequio, el	4	gift
obtener	6	obtain, to
ocio, el	8	leisure
ocular	10	ocular/eye
ocupado/a	1	busy
ocurrir	4	occur, to
oficial	1	official
oficina, la	1	office
ofimática, la	10	office automation
ofrecer	4	offer, to
opción de compra, la	8	purchase option
opinar	7	opine, to/think, to
opinión, la	4	opinion
optimizar	5	optimize
ordenador, el	9	computer
organigrama, el	2	organization chart
organizar	4	organize, to
oscilar	10	oscillate, to
otro/a	7	another
otoño, el	3	autumn

P

paella, la	6	paella
pagar	3	pay, to
pagaré, el	6	promissory note
página, la	1	page
país, el	7	country
palacio, el	1	palace
palmadita, la	3	pat
pan, el	4	bread
panel, el	3	panel
pantalla, la	2	screen
papá, el	7	daddy
papelera, la	3	waste paper bin
paraguas, el	4	umbrella
pareado	4	semi-detached
pareja, la	8	couple
parque, el	1	park
participante, el, la	3	participant
particular, el	3	point/private individual
pasaje, el	8	fare
pasajero/a, el, la	2	passenger
pasaporte, el	2	passport
pasar	2	pass, to
pasear	1	go for a walk, to
paseo, el	1	walk
pedido, el	3	order
pedir	8	ask (for), to
pelo, el	8	hair
pensar	10	think, to
pequeño/a	5	small
percibir	7	perceive, to/receive (money), to
perdón	10	excuse me/pardon
perecedero/a	3	perishable
perfume, el	5	perfume
periódico, el	1	newspaper
periodista, el, la	10	journalist
permiso, el	8	permission/permit
permitir	9	allow, to
persona, la	1	person

personal, el	2	personnel, staff
personalizado/a	4	customized/personalized
pertenecer	7	belong, to
pesacartas, el	1	paperweight
pesado/a	7	heavy
pesar	7	weigh, to
pesca, la	7	fishing
pescado, el	4	fish
petición, la	5	request
piano, el	7	piano
piel, la	3	skin
pila, la	7	battery
piscina, la	2	swimming pool
piso, el	8	flat
plan, el	8	plan
planificación, la	8	planning
plano, el	8	plan
planteamiento, el	3	idea
plástico, el	7	plastic
plato, el	4	course
playa, la	3	beach
plaza, la	6	square (of town)/seat (on plane, train, etc.)/space (in car park, etc.)
pluma, la	2	pen/feather
población, la	7	retirement
poder	9	be able, to
política, la	3	politics
pollo, el	5	chicken
poniente, el	3	west(ern)
popular	3	popular
portugués/a	7	Portuguese
posibilidad, la	1	possibility
positivo/a	10	positive
posponer	10	postpone, to
postre, el	6	dessert
postura, la	1	position
postventa, la	10	after-sale
práctica, la	4	practice
practicar	8	practise, to
precio, el	1	price
precioso/a	7	beautiful
prensa, la	8	press
preocupar(se)	1	worry, to
preparado/a	5	ready
preparar	1	prepare, to
presentación, la	5	presentation
presentar(se)	1	introduce (oneself), to
presidir	1	preside, to
préstamo, el	9	loan
presupuesto, el	8	budget
previsto/a	2	planned/forecast/scheduled
primario/a	7	primary
primavera, la	4	spring
primero/a	9	first
principal	1	main
prisa, la	9	hurry
problema, el	5	problem
proceso, el	7	process
procurar	4	endeavour, to
producción, la	4	production
producto, el	5	product
productor/ora, el, la	1	producer
profesión, la	10	profession
profesor/a, el, la	1	teacher

Glosario

profundo/a	8	deep/profound	
programa, el	5	program	
prohibido	8	prohibited	
promoción, la	1	promotion	
propiedad, la	4	property	
propósito, el	8	purpose	
proveedor/a, el, la	3	supplier	
proximidad, la	5	proximity	
proyectar(se)	10	project, to	
proyecto, el	2	project	
publicidad, la	5	advertising	
puerta, la	2	door	
puerto, el	8	port	
puesto, el	3	post	
puntual	6	punctual	

Q

quedar	3	stay, to
quejar(se)	5	complain, to
química, la	9	chemistry
quinto	4	fifth

R

rápido/a	3	fast
rato, el	7	while, time
razón social, la	8	corporate name
razón, la	4	reason
razonable	7	reasonable
realizar	7	do, to/perform, to
rebajar	3	lower, to
recepción, la	10	reception
recepcionista, el, la	3	receptionist
rechazar	3	reject, to
recibir	3	receive, to
reclamación, la	8	claim
recurso, el	9	appeal/resource
redactar	4	draw up, to/write, to
reducido/a	5	reduced
reducir(se)	9	reduce, to
referencia, la	5	reference
refresco, el	9	soft drink
regalo, el	4	present/gift
regresar	7	return, to
regular	5	regulate, to
rehacer	10	redo, to
relación, la	7	relation
rellenar	5	complete/fill in, to
reloj, el	3	watch/clock
remedio, el	7	remedy
remitir	6	sent, to
renta, la	10	income/rent
rentabilidad, la	8	profitability
repetir	8	repeat, to
representante, el, la	4	representative
reproducción, la	9	reproduction
reprografía, la	7	reprography
requerir	4	require, to
requisito, el	8	requirement
reserva, la	2	reservation
residencial	8	residential
resolución, la	8	resolution
responder	7	reply, to/respond, to
responsable, el, la	6	person responsible
restaurante, el	1	restaurant
resultado, el	2	result

retraso, el	8	delay
retribución, la	9	remuneration
retroproyector, el	9	retroprojector
reunión, la	7	meeting
rígido/a	1	strict/rigid
rogar	7	request, to
rojo	9	red
romano/a	7	Roman
rotuladora, la	3	felt-tipped pen
ruido, el	7	noise

S

sábado, el	9	Saturday
saber	2	know, to
sala, la	1	room
salario, el	4	wage
saldar	4	settle, to
salida, la	9	exit
salir	1	go out, to
salón, el	5	lounge
salud, la	8	health
saludo, el	5	greeting
satisfecho/a	1	satisfied
secretario/a, el, la	7	secretary
sector, el	1	sector
secundario/a	1	secondary
segundo, el	4	second
seguridad, la	7	safety/security
seguro, el	10	insurance
seguro/a	4	safe
selección, la	1	recruitment
selector, el	4	selector
sello, el	7	stamp
semana, la	4	week
seminario, el	1	seminar
sentar(se)	5	sit (down), to
sentimental	4	sentimental/emotional
señor/a, el, la	5	lady/gentleman
ser	1	be, to
servicio, el	4	toilet
servicio médico, el	1	medical service
sesión, la	3	session
siderúrgica, la	5	iron and steel
sidra, la	4	cider
siempre	3	always
silla, la	2	chair
sillón, el	4	armchair
similar	4	similar
simpático/a	7	pleasant/nice/charming
sincero/a	1	sincere
sindicato, el	10	trade union
sistema, el	6	system
situación, la	4	situation
soberbio/a	9	proud/magnificent
sociedad anónima, la	10	public limited company
sociedad limitada, la	8	liability company
sol, el	8	sun
solamente	9	only
soler	7	use to, to
solicitar	1	ask for/request/apply for, to
sonar	9	sound, to/ring, to
sonreír	5	smile, to
sonrisa, la	4	smile
sopa, la	10	soup
subida, la	3	rise

Glosario

submarinismo, el	7	diving
subsistencia, la	1	subsistence
subvención, la	8	grant/subsidy
sucio/a	8	dirty
sucursal, la	9	branch
sueco/a	3	Swedish
suerte, la	8	luck
sugerir	8	suggest, to
suizo/a	3	Swiss
superficie, la	1	surface
superior	8	higher
supermercado, el	7	supermarket
suscribir	5	subscribe, to/ sign, to

T

tamaño, el	8	size
tarde	7	late
tarde, la	1	afternoon/evening
tarifa, la	1	rates
tarjeta de crédito, la	7	credit card
tarjeta de embarque, la	2	boarding card
tarta, la	2	tart/cake
taxi, el	1	taxi
té, el	3	tea
teatro, el	2	theatre
tecla, la	1	key
teclado, el	7	keyboard
técnico/a, el, la	7	technician
tecnología, la	10	technology
telefonear	5	telephone, to
teléfono, el	4	telephone
telegrama, el	1	telegram
televisión, la	1	television
temperatura, la	5	temperature
temporada, la	3	season
temprano	6	early
tendencia, la	2	trend
tener	10	have, to
tenis	1	tennis
tercer(o)/a	2	third
terciario/a	3	manufacturing and processing (industry)
terminal, la	3	terminal
terminar	1	finish, to
ternera, la	5	veal
terraza, la	3	terrace
textil	8	textile
texto, el	4	text
tiempo, el	1	time
tienda, la	6	shop
típico/a	2	typical
tipo de interés, el	3	interest rate
todavía	7	yet/still
todo/a	3	all
tomar	1	take, to
tomate, el	3	tomato
trabajar	3	work, to
trabajo, el	1	work
tractor, el	1	tractor
traer	4	bring, to
tramitar	2	process, to
transformador/a	8	transforming/processing (industry)
transmisión, la	4	transmission
transporte, el	4	transport

trasladar(se)	9	move, to
traslado, el	9	move/transfer
trastero, el	9	storage room
tren, el	8	train
triple	2	triple
turco/a	3	Turkish
turismo, el	1	tourism
turno, el	3	shift

U

ubicación, la	10	location
único/a	9	only
urbanización, la	7	residential development
urgente	8	urgent
usar	2	use, to
usuario/a, el, la	2	user
utilizar	8	utilize, to

V

vacaciones, las	1	holidays
valorar	1	value, to
válvula, la	10	valve
venta, la	5	sale
ventaja, la	1	advantage
ver	7	see, to
verano, el	1	summer
verdad, la	6	truth
verdura, la	1	vegetables
vestíbulo, el	3	foyer
vestido, el	3	dress
vía, la	5	road/track/channel
viajar	10	travel, to
viaje, el	1	trip
vida, la	1	life
viejo/a	1	old
vino, el	7	wine
visitar	1	visit, to
vista, la	1	view
vitalidad, la	3	vitality
vivienda, la	10	house/housing
vivir	8	live, to
voltio, el	1	volt
volver	7	return, to
vuelo, el	1	flight
vuelta, la	2	return journey

Z

zona, la	2	zone

NEWCASTLE-UNDER-LYME COLLEGE LEARNING RESOURCES